聚焦三农：农业与农村经济发展系列研究（典藏版）

养猪业循环经济生态产业链 理论与实践研究

齐振宏　著

科学出版社
北　京

内 容 简 介

  本书从生态链与产业链"两链耦合"的视角，系统研究了我国养殖业循环经济生态产业链发展的现实背景与理论根源，研究了养猪业生态产业链主体行为选择的博弈机理、行为选择的影响因素及其作用机制、行为优化的激励机理、行为优化的个案剖析等内容，为加快发展养猪业循环经济生态产业链提供了理论与现实依据。本书从理论上增强对养猪业循环经济战略的认识，为加快养猪业增长方式的转变，发展养猪业循环经济生态产业链提供了理性的制度分析框架、有效途径、科学方法和可行策略，具有十分重要的理论价值和现实意义。

  本书可供从事农业及养猪业循环经济、可持续发展、生态文明建设的科研工作者和管理工作者及高等院校师生等参考使用。

图书在版编目（CIP）数据

养猪业循环经济生态产业链理论与实践研究 / 齐振宏著 . —北京：科学出版社，2015（2017.3 重印）

（聚焦三农：农业与农村经济发展系列研究：典藏版）

ISBN 978-7-03-043664-1

Ⅰ.①养… Ⅱ.①齐… Ⅲ.①养猪业–生态经济–产业发展–研究–中国 Ⅳ.①F326.33

中国版本图书馆 CIP 数据核字（2015）第 046199 号

责任编辑：林 剑 / 责任校对：邹慧卿
责任印制：徐晓晨 / 封面设计：王 浩

科 学 出 版 社 出版

北京东黄城根北街 16 号
邮政编码：100717
http://www.sciencep.com

北京京华虎彩印刷有限公司 印刷
科学出版社发行 各地新华书店经销

*

2015 年 1 月第 一 版 开本：720×1000 1/16
2015 年 1 月第一次印刷 印张：12 3/4
2017 年 3 月印 刷 字数：257 000

定价：98.00 元
（如有印装质量问题，我社负责调换）

总　序

农业是国民经济中最重要的产业部门，其经济管理问题错综复杂。农业经济管理学科肩负着研究农业经济管理发展规律并寻求解决方略的责任和使命，在众多的学科中具有相对独立而特殊的作用和地位。

华中农业大学农业经济管理学科是国家重点学科，挂靠在华中农业大学经济管理学院和土地管理学院。长期以来，学科点坚持以学科建设为龙头，以人才培养为根本，以科学研究和服务于农业经济发展为己任，紧紧围绕农民、农业和农村发展中出现的重点、热点和难点问题开展理论与实践研究，21 世纪以来，先后承担完成国家自然科学基金项目 23 项，国家哲学社会科学基金项目 23 项，产出了一大批优秀的研究成果，获得省部级以上优秀科研成果奖励 35 项，丰富了我国农业经济理论，并为农业和农村经济发展作出了贡献。

近年来，学科点加大了资源整合力度，进一步凝练了学科方向，集中围绕"农业经济理论与政策""农产品贸易与营销""土地资源与经济"和"农业产业与农村发展"等研究领域开展了系统和深入的研究，尤其是将农业经济理论与农民、农业和农村实际紧密联系，开展跨学科交叉研究。依托挂靠在经济管理学院和土地管理学院的国家现代农业柑橘产业技术体系产业经济功能研究室、国家现代农业油菜产业技术体系产业经济功能研究室、国家现代农业大宗蔬菜产业技术体系产业经济功能研究室和国家现代农业食用菌产业技术体系产业经济功能研究室等四个国家现代农业产业技术体系产业经济功能研究室，形成了较为稳定的产业经济研究团队和研究特色。

为了更好地总结和展示我们在农业经济管理领域的研究成果，出版了这套农业经济管理国家重点学科《农业与农村经济发展系列研究》丛书。丛书当中既包含宏观经济政策分析的研究，也包含产业、企业、市场和区域等微观层面的研究。其中，一部分是国家自然科学基金和国家哲学社会科学基金项目的结题成果，一部分是区域经济或产业经济发展的研究报告，还有一部分是青年学者的理论探索，每一本著作都倾注了作者的心血。

该丛书的出版，一是希望能为本学科的发展奉献一份绵薄之力；二是希望求教于农业经济管理学科同行，以使本学科的研究更加规范；三是对作者辛勤工作的肯定，同时也是对关心和支持本学科发展的各级领导和同行的感谢。

李崇光

2010 年 4 月

前　言

　　猪粮安天下。中国是生猪生产、消费大国，2012 年生猪出栏达 7.1 亿头，猪肉消费占我国肉类消费的 67% 左右，养猪业成为我国农业和农村经济的支柱产业。养猪业为保障畜产品有效供应、农业产业结构调整、农业增效、农民增收等都作出巨大贡献。然而，养猪业又是资源密集型、环境污染型产业，传统粗放式发展方式带来了日益严重的资源与环境问题，造成严重的"畜产公害"，畜禽养殖业已经成为农业面源污染的主要来源，不仅直接影响到畜产品质量和人畜安全，而且严重制约着养猪业的可持续发展。

　　造成养猪业资源瓶颈制约的技术原因是我国养猪业生产方式粗放，割裂了养猪业与种植业的内在联系；养殖业与种植业技术上割裂的深层制度根源，是缺乏发展养猪业循环经济的长效激励机制，是制度缺陷所造成的"市场失灵"与"政府失灵"。因而，解决养猪业资源环境问题，既要遵从自然生态规律构建生态链，又要遵从养猪产业发展的经济规律构建产业链；更要从制度层面建立起促使养猪业生态链与产业链"两链耦合"的长效机制，充分调动相关利益者的积极性，才能保证养猪业循环经济的可持续发展。

　　"十二五"时期是我国养猪业发展的重大转型变革期，养猪业发展与资源环境之间的矛盾成为重大瓶颈约束，引入循环经济这一新的理论范式，研究以加快养猪业发展方式转变促进其可持续发展，成为我国养猪业发展的阶段性新特征和亟待破解的重大课题。本书运用循环经济理论对养猪业生态产业链的相关理论与实践问题进行了探索性研究。

　　全书总分 9 章。第 1 章，绪论，主要介绍养猪业循环经济生态产业链研究的现实背景、理论意义，以及国内外相关研究动态；第 2 章，养猪业循环经济生态产业链理论基础，分别介绍农业可持续发展理论、循环经济理论、循环农业理论、外部性理论等相关理论基础，从内涵、实质、原则和特征等方面系统分析养猪业生态产业链构建的基本原理；第 3 章，养猪业循环经济生态产业链的现状分析，综合分析了养猪业循环经济生态产业链发展现状与演进逻辑；第

4章，养猪业生态产业链耦合机理分析，运用共生耦合理论对养猪业循环经济生态产业链的构成进行理论分析；第5章，养猪业生态产业链耦合影响因素实证分析，运用实证方法对养猪业生态产业链影响因素进行研究；第6章，养猪业生态产业链绩效评价指标体系构建，对如何评价养猪业生态产业链的共生绩效的指标体系进行分析；第7章，养猪业生态产业链绩效评价的实证分析，对养猪业生态产业链的共生绩效从经济绩效、生态绩效和社会绩效三个维度进行综合评价；第8章，我国养猪业生态产业链发展长效机制研究，从废弃物循环利用机制、生态环境价值补偿机制和共生利益共享激励机制等三个视角研究养猪业生态产业链长效机制问题；第9章，推进养猪业循环经济生态产业链发展的对策建议，分别从转变观念、经济杠杆、政策法规、绿色技术、生态文明制度建设等方面提出综合建议。

全书得到国家自然科学基金项目"基于循环经济的养猪业生态产业链共生模式与绩效研究"（编号：41171436）的支持。全书由齐振宏教授主持、策划、设计、指导、编辑和统稿完成。各章的作者具体如下。

第1章：齐振宏、曹丽红。第2章：罗丽娜、周慧、冉春燕、梁凡丽、邬兰娅、齐振宏。第3章：邬兰娅、冉春燕、王培成。第4章：唐素云、齐振宏、冉春燕、王培成、方丽丽、梁凡丽。第5章：张董敏、王培成。第6章：李欣蕊、梁凡丽、王培成。第7章：黄建、梁凡丽。第8章：朱萌、王培成。第9章：刘毕贵、曹丽红、齐振宏。

由于时间和水平有限，而且国内外学者对养猪业循环经济的系统研究非常少，相关研究资料非常不足，因而本书一定存在这样或那样的不足之处，敬请读者与专家批评指正。

本书得以出版，要特别感谢华中农业大学经济管理学院领导与学术委员会的大力支持，特别感谢科学出版社林剑编辑的热情帮助与精心指导。本书吸取了很多国内外研究者的智慧成果，我们已尽量在参考文献中列出，可能存在遗漏，在此一并致谢。

目　录

第1章
绪　论

　　猪粮安天下。中国是生猪生产、消费大国，2012 年生猪出栏达 7.1 亿头，占世界总量的 55% 以上；猪肉消费占我国肉类消费的 67% 左右，养猪业成为我国农业和农村经济的支柱产业。养猪业为保障畜产品有效供应、农业产业结构调整、农业增效、农民增收等都作出巨大贡献，但养猪业是资源密集型、环境污染型产业，传统粗放的发展方式带来了日益严重的资源与环境问题，造成"畜产公害"。如何转变养猪业的发展模式，实现养猪业的转型发展，是亟待研究的重大问题。

1.1　研究背景与意义

1.1.1　研究背景

1. 规模化养猪带来日益严重的资源环境问题，造成"畜产公害"

　　养猪业是我国传统产业之一，发展历史悠久。随着经济增长和人们消费水平的提高，消费者不仅对畜产品的需求量日渐增加，而且对畜产品品质要求也越来越高，市场需要不断推动我国畜牧业产业调整、结构升级。养猪业作为其重要组成部分，一直是我国居民肉类食品的主要来源。据统计，2011 年，我国猪肉产量为 5053.1 万吨，占全国肉类总产量的 63.5%，比 2001 年增长了868.6 万吨[①]；城乡居民人均猪肉消费量在 1980～2008 年不断增长，且不低于肉类消费总量的 60%[②]。相对大米、小麦等粮食产品而言，畜禽品需求弹性较高（彭新宇和张陆彪，2006），客观上迫使我国养猪业向规模化发展。

---

　　① 引自国务院发展研究中心信息网. 2013-1-8. http：//edu. drcnet. com. cn/eDRCnet. common. web/docview. aspx? version = data&docId = 3109450&leafId = 17505&chnId = 4540.

　　② 引自《中国经济》. 2011-4-19. http：//www. p5w. net/news/cjxw/201104/t3562000. htm.

然而，与之相伴的是资源紧缺和触目惊心的环境污染问题。规模化猪场需要大量的饲料、水和土地资源，随着中国养猪业的快速增长，粪便排放导致的"畜产公害"问题日趋严重，给农村生态环境带来了沉重的压力，并严重影响中国农业可持续发展。据测算，一个年产量达万头的猪场需用地面积 50～100亩[①]，日耗水 100～150 吨；养猪业饲料消耗资金较多，占养猪总成本的 70%左右。另外，养猪业污染严重，2000 年国家环境保护总局对全国 23 个省份规模化畜禽养殖业调查显示，全国 90% 的规模化畜禽养殖场未经过环境影响评价，60% 的养殖场缺乏必要的污染防治措施，规模化畜禽养殖业粪便排放量是工业固体废弃物的 2.4 倍；畜禽污染物波及面广且危害大，畜禽粪便化学需养量（COD）的排放量远远超过工业与生活污水的排放量之和，以畜禽粪便为主的养殖污染已逐渐成为非点源污染的主要来源。有专家指出，预计到 2020年，畜禽养殖规模将是 2001 年的 1.67 倍，如果畜禽养殖流失的污染总量维持在 2000 年的水平，流失系数则要降低到目前水平的 60%，畜禽养殖的环境治理压力巨大（李晓璐，2007）。Fischer 等（2010）预测，2005～2030 年，中国猪、肉鸡等畜禽产品产量将平均增长 2.5 倍。畜禽产品产量的快速增长带来了畜禽粪便排放的大幅度增加。

2010 年《第一次全国污染源普查公报》显示，畜禽养殖业年粪便产生量2.43 亿吨，尿液产生量 1.63 亿吨，农业源污染物排放对水环境的影响较大，其化学需氧量排放量占化学需氧量排放总量的 43.7%。农业源也是总氮、总磷排放的主要来源，其排放量分别占排放总量的 57.2% 和 67.4%。畜禽养殖业已经成为农业面源污染的主要来源，产生了严重的"畜产公害"，不仅直接影响畜产品质量和人畜安全，而且严重制约着养猪业的可持续发展（林藩平，2001；郑江平，2004；温铁军，2006；张铭华和游金进，2010）。随着我国养猪业快速发展和饲养规模增大，其产生的环境污染的威胁将愈发严重。

2. 国家循环农业政策和法规的不断加强

养猪业发展引发的"畜产公害"引起了我国政府的高度关注。2005 年 12月，国务院在《关于落实科学发展观加强环境保护的决定》中指出，要积极发展节水农业与生态农业，加大规模化养殖业污染治理力度。2006 年，中央一号文件正式提出要加快循环农业发展，提高农业投入资源利用效率，加大农业面源污染防治力度；同年，农业部开展了"一池三改"——户用沼气池带动农村改猪圈、改厕所、改厨房的"生态家园富民计划"。同年 10 月，国家

---

① 1 亩≈666.7 平方米。

环境保护总局颁布《国家农村小康环保行动计划》，行动计划的重点是规模化畜禽养殖污染防治，并计划到2010年实现建成500个规范化畜禽养殖污染防治示范工程建设的目标。

2007年，面对养猪业的粗放式发展、猪肉市场价格的大幅波动，国务院两次紧急下达关于促进生猪生产发展，稳定市场供应的意见，明确提出要搞好生猪养殖的治污减排工作，要把农村户用沼气建设与支持散养户发展生猪生产结合起来，因地制宜推广"四位一体"和"猪—沼—果"等循环经济养殖模式。这些措施均反映了我国政府对发展养猪业循环经济的高度重视。2007年，中央一号文件再次强调要鼓励发展生态农业和循环农业，有条件的地区还可以发展有机农业。2008年，中央一号文件重点指出要大力发展节水灌溉，加强土壤改良和农用沼气工程建设。2009年，中央一号文件指明发展循环农业的优惠政策，提出要安排专项资金用于农村面源污染防治和沼气工程建设。2010年，中央一号文件进一步强调要加强整治农村面源污染，加大力度发展循环农业和生态农业。这些文件的出台，不仅显示了政府对改变农村面源污染的高度重视，也反映出我国农业要转型发展、转变发展方式、发展循环农业的紧迫性。2013年10月8日，国务院总理李克强主持召开国务院常务会议，审议通过《畜禽规模养殖污染防治条例（草案）》，指出，随着我国畜禽养殖量不断扩大，养殖污染已成为农业农村环境污染的主要来源，运用法律手段，促进养殖污染防治，对推动畜牧业转型升级、有效预防禽流感等公共卫生事件发生、保障人民群众身体健康，具有重要意义。会议要求，要强化激励措施，鼓励规模化、标准化养殖，统筹养殖生产布局与农村环境保护，严格落实养殖者污染防治责任，扶持养殖废弃物综合利用和无害化处理，使畜禽养殖污染明显改善，保护生态环境，促进畜牧业持续健康发展。

在全国农业和农村经济发展的"十一五"规划中，中央提出要将"发展农村循环经济，转变农业增长方式，降低农业生产成本"作为基本任务，并将"大力推进节地、节水、节肥、节药、节种、节能，发展低投入、低消耗、低排放和高效率的农业循环经济"作为解决"三农"（农业、农村、农民）问题的基本指导方针。全国畜牧业发展"十一五"规划中指出，"坚持经济、社会、生态目标并重，大力发展以秸秆养畜、畜禽粪便资源化利用为核心的循环经济"。"十二五"时期是中国经济大转型时期，"十二五"规划中指出，以加快转变经济发展方式为主线推动科学发展，这是我国的基本国情和发展阶段性新特征，是一场深刻的社会经济变革，必须贯穿经济社会发展的全过程和各领域。养猪业如何在"十二五"大转型期，加快转变发展模式，摆脱资源环境瓶颈的约束，成为亟待研究的重大课题，客观上迫切需要从理论和实践上进行总结和反思。

1.1.2 现实意义

在农村，一方面，养猪业粪污带来了日益严重的"畜产公害"，不仅给农村环境带来严重污染，直接影响人民群众的身体健康，而且大量的粪便资源，未能"变废为宝"，实现资源化再利用，也严重浪费了大量生物质资源。另一方面，种植业过度使用化肥，不仅带来环境污染，而且由于缺乏粪肥保养，土壤土质严重退化，土壤有机质和保墒性都严重下降，不仅使农产品产量下降，而且给农产品品质与食品安全也带来威胁。以畜禽粪便为主的养殖污染已逐渐成为非点源污染的主要来源（王培成，2010）。

养猪业带来的资源环境问题已成为其发展的瓶颈，严重制约着养猪业的可持续发展，亟待转型发展，而转型发展亟须新的理论范式指导。发展循环经济是解决这些问题的根本出路。循环经济被认为可以从根本上消解长期以来资源环境与发展之间的尖锐冲突，是经济范式的革命，"十二五"规划建议特别强调要大力发展循环经济。"十二五"时期是我国养猪业发展的重大转型变革期，引入循环经济这一新的理论范式，研究加快养猪业发展的方式，促进其可持续发展，成为我国养猪业发展的阶段性新特征和亟待破解的重大课题（冉春艳，2010）。本书以循环经济新范式研究相关问题，对于加快转变养猪业发展方式，破解养猪业发展与资源环境的尖锐矛盾，促进农牧一体化，减少面源污染，提高畜产品质量与人畜安全，促进养猪业可持续发展，都具有十分重要的现实意义，特别是在我国"十二五"大转型期更加具有广阔的应用前景。

1.1.3 理论意义

1. 将为发展养猪业循环经济提供理性的制度分析框架

通过多年的研究发现，我国规模化养猪业所造成的"畜产公害"问题的技术原因是割裂了养猪业和种植业生态产业链的天然联系，制度原因是经济理性与生态理性相悖导致的环境外部性，因而解决问题的根本举措是发展养猪业循环经济产业链（齐振宏和王培成，2010）。

然而，由于规模型猪场养猪户的复杂性和波动性，以及猪场生态环境的不确定性，以养猪业为主体的生态产业链的稳定性受到各种因素的影响，往往表现为链条中环节的不稳、缺失甚至断裂，从而导致养猪业生态产业链的解构，影响养猪业循环经济的稳定运行与可持续发展。生猪生产的不稳定又会直接导致市场上生猪价格的波动，在这样的背景下，建立以养猪业为主体的循环经济产业链到底有无必要？是否会产生预期的效益？如何建立养猪业循环经济产业链的各个环节达到耦合的长效机制？这些都是发展养猪业循环经济需要认真研究的科学问题，具有重要的理论价值。

在理论上，养猪业循环经济不仅是一种新的技术范式，而且是一种新的制度范式。在某种程度上，产生养猪业环境与资源压力的深层原因在于没有形成适合循环经济发展的制度体系和长效运行机制。本书将从生态链与产业链"两链耦合"的视角来分析养猪业循环经济的主体行为选择的博弈机理、行为选择的影响因素的作用机制、行为优化机制的定量分析、行为优化的个案剖析等，从理论上增强对养猪业循环经济战略的认识，为加快养猪业增长方式的转变、发展养猪业循环经济提供理性的制度分析框架、有效途径、科学方法和可行策略，因此具有十分重要的理论价值。

2. 为建立养猪业循环经济产业链共生绩效评价体系提供理论保障

养猪业循环经济是指养猪业按照循环经济原理，仿照自然生态系统，建立起农牧一体化的共生"食物链"，通过废弃物交换、资源循环利用、要素耦合和产业联结等方式形成"生产者—消费者—分解者"相互依存、密切联系、合作协同的组织网络体系。其实质就是通过养猪业生产方式的根本转变，实现生态重组转型为核心的养猪产业生态化以及相应的组织制度创新（齐振宏和王培成，2010）。

养猪业循环经济产业链是实施循环经济的有效载体，共生和协作是其根本特征。解决养猪业资源与环境矛盾的根本举措并不是依靠"末端治理"的环保措施，而是需要在养殖业与种植业之间建立紧密的利益联结机制，着力提高组织化协作程度，寻求经济理性与生态理性的有机融合，建立起共生和协作的养猪业生态产业链。养猪业生态产业链共生绩效评价是共生理论与共生模式的具体化，是生态产业链主体生产经营行为的指挥棒和监督器。将循环经济生态产业链嵌入共生绩效评价理论中，实现与共生绩效评价理论的全面结合，从理论上解决共生绩效评价与生态产业链相脱节的问题，将增强共生绩效评价理论的科学性、完整性和系统性。建立基于循环经济生态产业链的共生绩效评价理论与方法体系，将从理论和方法上激励和引导相关利益者有动力将循环经济贯彻落实到养猪业生产经营的全过程，为养猪业生态产业链创造可持续发展的价值，促进经济效益、生态效益和社会效益的有机统一。从国内外发展状况来看，绩效评价呈现出财务绩效与非财务绩效相结合、经济绩效与社会绩效以及环境绩效相结合的发展趋势。但是，目前我国的大多数绩效评价体系仍然侧重于对经济绩效的评价，无法全面地反映经济、生态、社会三方面绩效价值创造的协调性和持续性（温素彬和薛恒新，2005）。不少学者（叶谦吉和罗必良，1988；刘彦随和吴传钧，2000）都批评了我国片面强调短期经济效益而忽视长期环境效益和社会效益所导致的农业资源环境恶化和生态系统有序性破坏所产生的负效应。因此，研究制定一套三个效益统一的共生绩效评价体系，为养猪业生态产业链绩效评价的实施奠定理论基础和方法保障。

综上所述，从循环经济视角研究养猪业循环的长效发展机制以及绩效评价体系，属于前瞻性探索性交叉学科课题，在理论上具有较大的创新性，对充实和完善资源环境经济学、农业循环经济学、农业可持续发展理论体系都具有十分重要的理论意义和科学价值。

1.2 国内外研究文献综述

1.2.1 国外研究综述

循环经济（circular economy）发端于对传统工业化增长模式的反思，它是应对工业文明危机及其社会经济发展方式危机的产物。1962 年美国经济学家鲍尔丁（Boulding）提出著名的"宇宙飞船理论"，首次提出"循环式经济"概念。他主张需要建立"循环式经济"替代"单程式经济"，即改变传统的由"资源—产品—废弃物"形成的单向流动的线性经济转向"资源—产品—废弃物—再生资源"组成的循环反馈式模式，以使物质和能量能够得到充分和持久的利用，从而减少资源消耗与环境压力，确保人类社会经济的可持续发展。

然而，这一思想当时并未引起高度重视，20 世纪 70 年代世界各国关心的仍然是"末端治理"（end of pipe）环境治理方式，80 年代人们开始全面重视资源的回收利用与资源利用效率的提高。西方学者认为环境污染的经济实质是环境外部性，因而解决的思路就是外部性如何内部化，代表性的思路主要有两种：一是依靠政府调控的庇古手段（Pigou，1932），二是依靠市场机制的科斯手段（Coarse，1960）。但它们仍属于"末端治理"方式，治标未治本。

直到 20 世纪 90 年代"可持续发展战略"确定后，世界各国才逐渐由"末端治理"（1960~1980 年）转向"源头预防""全过程控制""消除造成污染的根源"（1980~1990 年）。在可持续发展战略思想的指导下，1989 年联合国环境规划署制定了《清洁生产计划》，大力推行清洁生产（cleaner production）。转变经济增长方式，逐渐将清洁生产、资源综合利用、生态设计和可持续消费等融为一体的循环经济发展模式被各国认为是实施可持续发展战略的优选模式。因此，发达国家通过制度创新，在传统市场经济框架内引入环境规制和环境交易制度体系，把环境作为经济要素纳入市场经济循环中。尤其是针对经济活动的三个重要层面（单个企业、区域层面、社会层面）形成了物质闭环型经济的三种关键性思路，使循环经济在理论与实践方面有了实质性发展。在企业层面上，最典型的循环经济发展模式是杜邦化学公司模式；在区域层面上，最典型的是丹麦卡伦堡生态工业园；在社会层面上，德国于1996年颁布《循环经济和废物管理法》，建立较为完善的"DSD双元回收系统"，日本也相继颁布《促进建立循环型社会基本法》等法律法规，目标是建立"循环型社会"，以便将环境保护与节约资源融入经济活动的各个层面。国外学者Ann Mari Janson、Carl Fokke、Herman Daily、Kenneth Boulding等从20世纪90年代开始对循环经济进行研究，但目前还未得出对循环经济理论基础的完整解释。

当前，许多发达国家把循环经济作为实现经济建设与资源环境协调发展的重要方式，从立法、财政、税收、投资、企业环境责任、公众参与等方面采取了一系列措施，积极促进循环经济发展，建立起政府引导、市场竞争、企业自律、公众自觉参与的循环型社会。

1.2.2 国内文献研究综述

1. 养猪业循环经济发展的问题与根源

我国是世界养猪业大国，年生猪出栏量达到7亿头，养猪业已成为我国农业重要的支柱产业，但养猪业是资源消耗型、环境污染型产业。日本早在20世纪60年代就出现了"畜产公害"的严重局面。在美国，畜禽养殖场产生的废弃物高达2.7万亿磅，是人类生活废弃物的130多倍，严重危害着人类的生存环境（Edwards and Withers，1998；Smith et al.，1998，2001）。我国养猪业发展也没有从根本上摆脱粗放型增长方式，养猪业发展与资源环境之间的矛盾日益突出（王爱国，2006）。据彭新宇（2007）测算，2005年我国畜禽粪便排放总量是当年工业固体废物产生量的2.0倍，畜禽废水COD的排放已经超过全国工业废水和生活污水的COD排放量的4.0倍。

这些问题成为社会各界广泛关注的焦点，一些学者从养猪业污染的症状、途径、危害、特点等方面研究环境承载压力（林藩平，2001；卢霞，2003；甘露，2006；冯进修和郭风英，2007）；另一些学者则从饲料资源、土地资源、水资源、能耗资源等角度研究养猪业的资源压力（尤琦，2003；刘勇，2007）；还有一些学者对养猪业资源环境问题产生的原因，从生产（发展）方式、工程技术、环境管理、经济根源、制度机制等方面进行分析。例如，赵希彦和温萍（2005）认为，养猪场规模化程度的提高，造成环境污染日益严重；彭新宇（2007）认为随着规模化养殖业的快速发展，生猪产生的粪便、污水、噪声，以及清洗猪体和饲养场地及器具等产生的污水、粉尘、恶臭等，对大气、水体、土壤、生物各圈层造成了交叉复合危害和破坏，因此养殖污染产生的经济原因是环境的外部性；陈昌洪和霍学喜（2007）认为养猪业资源环境问题是由生猪产业的负外部性导致的；张子仪（2002）认为产生养猪业资源环境问题的根本原因是养猪业与种植业发生分割，使生态链与产业链出现断裂，破坏了包括农业产业系统内在的生态共生联系。

2. 养猪业循环经济概念与内涵

张子仪（2002）等认为只有发展养猪业循环经济才能从根本上解决养猪业的资源环境压力问题。目前与养猪业循环经济相近的概念有生态养猪业（吴华东，2001）、绿色养猪业（张明峰，2001）、健康养猪业（周桂莲等，2001）、环保型养猪业（何英俊，2002）、节约型养猪业（王林云，2006b）、低碳养猪业（王美芝，2010）等。这些概念实际上是从不同视角诠释了养猪业循环经济的主旨，核心均为节约资源、保护环境这两个最根本的问题。王树星（2008）认为养猪业循环经济应包括清洁化生产、产品与产业的生态化设计、资源与能源的循环利用以及可持续生产与可持续消费等内容。但目前论述养猪业循环经济的文献绝大多数还是实际工作经验的总结，处于实践经验的定性描述阶段，而从理论层面对养猪业循环经济的内涵、实质、特征等的研究还不够系统和深入。

3. 养猪业循环经济发展模式与对策

对解决养猪业粪污所造成的资源环境压力，学者提出的思路主要集中在三个方面：生态环境工程治理技术手段、环境经济政策与法律手段以及循环经济手段等。学界对于养猪业带来的环境污染危害与工程治理技术模式研究得比较多（赵学贤，1997；张明峰，2001；张铭华和游金进，2010），他们强调生态环境工程治理技术手段和环境政策，但往往忽视环境工程与养猪产业综合协调发展的研究；（王兆军，2001；王林云，2006c）对养猪业粪污的资源化、无害化、减量化等作环境技术性分析的比较多，但对其作经济性研究的比较少。张子仪（2002）、黄贤金（2006）、李健生（2005）等的观点则比较全面，强调要发展养猪业循环经济，走农牧一体化道路，把治理养猪业环境污染与养猪业可持续发展紧密结合起来，但他们也仅仅是提出问题，并未对养猪业循环经济作深入系统的理论研究。徐芹选和郑西来（2006）对畜禽养殖污染防治模式进行研究，认为应采用还田模式、生化处理模式、沼气化处理模式及污染转移四种方式，而沼气化处理模式是用循环经济理念治理畜禽养殖污染最有效的方法。樊元和刘国平（2011）认为，对于区域农业来说，应在生态学原理指导下，应用系统工程的方法，走农牧结合的发展道路，因地制宜地确定废弃物处理利用的方法，以达到经济、社会和生态三个效益的统一。熊传慈等（2008）研究认为典型的养猪业循环经济有北方"四位一体"模式（猪—沼—棚—菜）和南方"三位一体"模式［猪—沼—粮（果、菜、鱼）］，另外还有不少拓展模式。还有学者（张益新，2008；齐振宏和王培成，2010）用中外比较的视角分析了发展养猪业的生态化发展模式，分别对法国的"五环产业循环经济模式"、瑞典的"绿色养猪业模式"、韩国的"自然养猪法"、日本的"生态养猪法"和美国的"农牧结合型养猪模式"等进行比较研究。

综上所述，国内外学者从不同角度对相关问题进行了大量深入且非常有益的探索，但对我国养猪业生态产业链的研究还显得十分薄弱，系统而深入的理论研究还非常欠缺，对相关问题的分析也只停留在经验描述性层面，没有揭示其内在的组织联结机理和根本动因。因此，研究亟须从以下方面加以深化：

首先，在研究视角上，现有研究的重点是在传统经济范式下研究养猪业环境污染治理问题，或者是养猪产业的发展问题，但缺乏从循环经济新视角展开的研究。循环经济视角的关键在于"循环"＋"经济"，即强调既要遵从生态规律又要遵从产业经济规律。传统"末端治理"之所以失败，关键在于没有将治理污染和经济效益有机结合。只有从循环经济视角来整合养猪业的环境污染治理和区域资源的循环再利用，在创造经济效益的前提下提高产业环境表现和资源效率，才能实现产业转型发展的经济理性与生态理性的有机统一。这种循环经济视角具有系统整合优化的特点，符合养猪业资源整合、标本兼治、生态化转型发展的内在规律，而这方面的系统研究几乎还是空白。

其次，在研究内容上，已有成果对养猪业环境污染与资源化利用的研究，主要集中在工程技术层面与环境政策层面，缺乏把工程技术与经济制度两者进行有机统一的综合性研究；在生态产业链共生联结机制方面，主要侧重资源与能量循环而缺乏对联结利益相关者主体行为的研究，以及对养殖户环境行为的研究，"见物不见人"；对养猪业发展政策，也多是产业发展或环境治理单一政策研究较多，缺乏两者统一的综合性政策矩阵分析。

最后，在研究方法上，单纯的经济学方法的局限是不考虑自然生态系统的作用，单纯的生态学方法忽视了人类社会和经济行为。规模养殖生态系统是一个非常复杂的综合系统，单靠一个学科、一种方法难以解决。目前对养猪业生态产业链共生模式的研究大多以定性分析为主，缺乏定量分析与实证研究。

农业的特殊性在于，它是依赖自然生态环境建立起来的一种人工生态系统。两者具有水乳交融、密不可分的关系，决定了农业经济系统更易于和谐地纳入自然生态系统的物质循环过程中，建立循环经济发展模式（任正晓，2007）。目前，阻碍养猪业循环经济发展的直接原因就是工厂化养猪人为割裂了畜牧业与种植业的生态链与产业链之间内在的天然耦合联系，其根本原因则是没有形成适合循环经济发展的制度体系和运行机制。齐建国（2005）认为由于循环经济得以发展的原因主要是环境和资源压力，发展循环经济就必须研究导致污染的根本原因——旧的制度障碍与机制缺陷。因而，要实现养猪业"生态链"与"产业链"之间的有机耦合，探求其内在的互动耦合机理和构建具有共生机制的"生态产业链"长效机制，建立促进农牧一体化的养猪业循环经济制度分析框架便是研究关键，而在这方面，现有文献少有涉及，这就是本书展开研究的动因所在。

1.3 研究内容、方法与技术路线

1.3.1 研究内容

1. 养猪业循环经济发展的理论基础与现实需求分析

从养猪业发展方式转变、农业资源短缺和农业生态环境严重恶化、农业生态承载力脆弱等现实视角出发，对发展养猪业循环经济的相关理论进行全面梳理和分析，并形成具有特定内涵的养猪业循环经济的基本概念。同时，就发展养猪业循环经济的重要性、必要性与紧迫性进行全面而深入的分析。

2. 我国养猪业循环经济发展现状、存在问题与外部性经济根源分析

通过对典型养猪主产区的养猪企业、养猪小区和养殖户的问卷调查和深入访谈，以及对相关统计年鉴数据的处理与分析，评价我国目前养猪业资源利用、环境污染现状以及对养猪业可持续发展的影响，对养猪业存在的资源环境与可持续发展问题进行深入的定性与定量相结合的综合分析，并从外部性、循环经济、产权经济、福利经济、环境经济等视角解释养猪业污染形成的原因，

重点揭示造成养猪业生态链与产业链割裂的制度根源与机制缺陷。

3. 养猪业循环经济生态链与产业链"两链耦合"的机理分析

运用生态经济学、产业经济学及新制度经济学等学科理论,初步构建生态链和产业链"两链耦合"的理论分析框架,包括对"两链耦合"内涵的界定,对"两链耦合"的作用机理、影响因素、实现途径等的分析;为建立"两链耦合"的长效机制,寻找相关生态学、经济学的理论依据与政策供给。选择几个典型案例,对其养猪业循环经济生态产业链的发展历程与现状、生态链与产业链之间的"两链耦合"机理进行分析,从中总结养猪业农牧一体化生态产业链发展的主要经验。

4. 养猪业循环经济生态产业链发展模式与耦合机理的实证分析

对我国农牧一体化养猪业循环经济生态链与产业链"两链耦合"发展模式,进行理论归纳与解释;从养猪生态链和产业链整合角度,运用这些典型发展模式,对自然资源利用情况、环境承载力、投资收益等进行实证分析,揭示养猪业生态链和产业链耦合互动过程中,相关利益者的博弈关系与外部性内部化的激励机制。

5. 养殖户采纳养猪业循环经济生态产业链行为的模型构建和实证分析

对养殖户循环经济采纳行为的相关理论加以综述,进而提出循环经济采纳行为的研究框架;对养殖户采纳循环经济行为进行实证调查,对影响养殖户采纳行为进行文献分析和实证分析,结合调研分析,提出循环经济采纳行为研究的实证模型,解释模型变量;通过对所有变量、环境意识、环境行为、沼气技术等采纳行为的综合分析,找出影响微观主体亲环境行为的关键影响因素,为构建新的制度安排与政策措施提供实践佐证。

6. 养猪业循环经济生态产业链发展的政策选择

通过对养猪业循环经济生态产业链发展的实证研究和综合分析,系统总结国内外发展养猪业循环经济的有益经验和教训,归纳出我国发展养猪业循环经济生态产业链应解决的核心关键问题及其发展的基本规律,为突破养猪业的资源瓶颈约束,实现我国养猪业的转型发展提供经验借鉴,并分别从技术创新、政策创新、产业链合作机制创新等视角提出符合我国养猪业可持续发展的政策建议。

1.3.2 研究方法

1. 规范分析和实证分析相结合的方法

一方面，借鉴西方资源与环境经济学、生态经济学、行为经济学等领域的理论，为养猪业循环经济生态产业链发展提供经济学分析框架；另一方面，采用统计年鉴数据测算近年来我国养猪业资源环境的使用状况、特征与问题，并运用实地调研数据和计量模型，对养殖户发展养猪业循环经济行为进行研究。

2. 实地调查和案例分析法

本书的实证研究采用随机抽样与典型调查相结合的方法。拟在长江中下游地区养猪和产粮主产区进行选点，开展实地调研，采取问卷调查为主，主要知情人深入访谈的方法，调查养殖户与水稻种植户资源利用、生态环境、经济发展、产业合作、共生联结等基本情况，对实施养猪业生态产业链的合作意愿、方式、行为与绩效等情况进行全面调查。通过实地考察、问卷调查、深度访谈、焦点小组讨论、专家咨询、文献研究等方式，搜集有关统计年报、工作简报、动态信息等来全面了解养猪业发展总体情况，以及资源循环利用、产业生态化、社会经济发展水平、产业合作、共生绩效等相关的文字资料、图像资料、统计资料和数据。运用 SPSS 软件和 Clementine 11.0 对调查资料进行数据挖掘，对激励养猪业亲环境行为长效机制的影响因素进行多维分析，找出主要影响因素，并结合典型养猪业循环经济的具体案例进行深入剖析和研究。

3. 从经济行为学视角来研究循环经济政策的方法

本质上看，循环经济政策的作用对象是经济主体的行为。通过对经济手段激励企业和农户采纳亲环境行为的研究，找出采纳亲环境行为的决定因素与作用机理，进而探讨采纳行为的循环经济政策。从主体行为的视角来研究政策思路，符合政策本身的内在作用机理，这是本书的主要研究方法。

1.3.3 技术路线

1. 研究思路

基于对国内外大量的文献研究，以解决制约养猪业"畜产公害"外部性内部化的循环经济发展的"制度""机制"这个矛盾为主线，从生态链与产业链"两链耦合"的视角，探索养猪业生态产业链构建的互动机理，揭示养猪业环境行为外部化的经济根源，分析"两链耦合"内部化作用机理和发展模式，并通过对养殖户微观主体亲环境采纳行为理论模型的构建与实证分析，为最后设计养猪业循环经济生态产业链发展提供政策依据和发展对策。

2. 技术路线

本书的技术路线如图 1-1 所示。

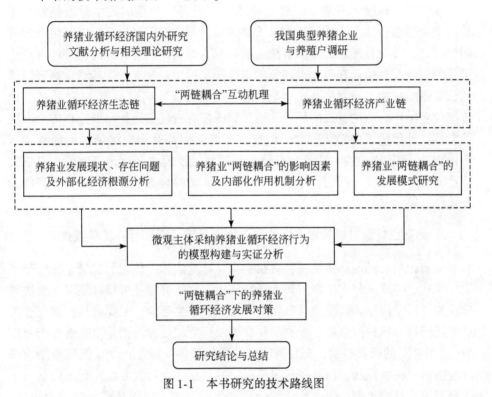

图 1-1　本书研究的技术路线图

1.4　研究主要观点与创新点

1.4.1　研究的主要观点

1. 传统养猪业发展模式遇到了资源环境瓶颈制约，需要转型发展

养猪业是我国农业的支柱产业，但我国传统养猪业又是一个典型的资源消

耗型、环境污染型产业，面临着日益严峻的资源与环境瓶颈约束。畜禽养殖业已经成为农业面源污染的主要来源，产生了严重的"畜产公害"，不仅直接影响到畜产品质量和人畜安全，而且严重制约着养猪业的可持续发展，转型发展迫在眉睫。养猪业的转型发展需要相应的理论作为指导，养猪业循环经济理论为其提供了新的理论范式，可以从根本上破除养猪业发展所面临的资源与环境瓶颈。

2. 产生养猪业资源环境问题外部性的根本原因是传统制度失灵

导致我国规模化养猪业所造成的"畜产公害"问题的技术原因是割裂了养猪业和种植业生态产业链的内在天然联系，制度原因是经济理性与生态理性相悖导致的环境外部性，因而解决问题的根本举措是构建养猪业循环经济产业链。养殖业与种植业在技术上割裂的深层制度根源是缺乏发展养猪业循环经济的长效激励机制，是制度缺陷所造成的"市场失灵"与"政府失灵"。虽然以传统经济学作为理论基础的环境政策，如课征庇古税与运用科斯定理等手段能部分解决外部经济内部化问题，但这些环境政策都属于先污染后治理的"末端治理"，治标未治本。而且，养猪业的发展既要解决环境污染问题，又要解决产业的可持续发展问题，这就需要治标治本的综合方法，养猪业循环经济为其提供了路径选择。

3. 养猪业转型发展的根本出路在于构建养猪业循环经济发展模式

只有把生态链与产业链进行有机整合，建立农牧一体化的养猪业循环经济发展模式，才能从根本上缓解资源环境压力，促进养猪业可持续发展。解决养猪业资源环境问题，既要遵从自然生态规律构建生态链，又要遵从养猪产业发展的经济规律构建产业链；更要从制度层面建立起促使养猪业生态链与产业链"两链耦合"的长效机制，充分调动相关利益者的积极性，才能保证养猪业循环经济的可持续发展。而这些长效机制，就包括废弃物资源循环利用机制、生态环境价值补偿机制、生态产业链合作共生机制等。以循环经济理论为指导，运用生态系统工程的方法，走农牧结合的发展道路，因地制宜地确定养猪业废弃物综合利用的方法，以达到经济、社会和生态效益的有机统一。

1.4.2 研究创新点

1. 研究背景、视角和范式创新

已有文献对养猪业资源环境问题的研究主要是站在生态环境工程治理技术

视角，或资源环境经济政策学单一视角，本书则是以我国"十二五"时期农业经济、养猪产业经济处于大转型期为研究背景，站在循环经济的"生态链+产业链"整合视角，对养猪业经济理性与生态理性生态化转型的共生机理、模式和绩效予以深入研究，力图建立一个基于环境是经济增长内生变量的基本分析框架，从而克服传统经济学把环境作为外生变量的制度困境，研究的背景、视角和范式都有所创新。

2. 研究方法注重多学科交叉，整合性强

已有部分文献对养猪业生态产业链展开研究，但研究方法多是以工作经验总结式的定性描述性分析为主，本书则从养猪业生态产业链是"自然系统+经济系统+社会系统"的复合系统特性出发，广泛采用循环经济理论、可持续发展理论、产业组织理论、资源环境经济理论、产业链理论、共生理论、计量经济学等相关理论与方法，采用规范分析与实证研究相结合、定量分析与定性分析相结合、案例研究与比较研究相结合的研究方法；同时，综合运用逻辑的混合合成方法（logic compound synthesis），研究方法整合性强，体现了研究复杂问题的多学科交叉综合的特点。

3. 研究内容有所创新

近年来，循环经济研究是一个前沿性的研究热点问题，但理论界目前对农业循环经济尤其是对养猪业循环经济研究的文献还非常少见；现有成果对绩效评价的研究大多是对经济绩效的评价。本书将从循环经济角度，建立养猪业生态产业链共生模式的理论分析框架；从经济绩效、生态绩效和社会绩效三个维度对养猪业生态产业链共生绩效评价体系进行分析。这些研究内容将是首次全面而系统地研究养猪业生态产业链共生模式及其共生绩效评价问题，从交叉学科角度将充实和完善农业循环经济共生模式、共生绩效评价理论以及农业资源环境经济、农业可持续发展理论体系，具有较大的创新机会与价值。

1.5 结　论

中国是一个生猪生产和消费大国，养猪业已经成为我国农业的支柱产业，但我国养猪业发展方式落后，是资源消耗型、环境污染型产业。随着中国养猪业生产的快速发展，粪便排放导致的资源环境污染问题日趋严重，产生了严重的"畜产公害"。"畜产公害"给农村生态环境和人民生活带来沉重的环境压力，而且影响畜产品质量和人畜安全，严重制约养猪业的可持续发展。发展养猪业循环经济，转变养猪业发展方式迫在眉睫。造成养猪业资源瓶颈制约的技术原因是我国养猪业生产方式粗放，割裂了养猪业与种植业的天然内在联系；养殖业与种植业技术上割裂的深层制度根源，是缺乏发展养猪业循环经济的长效激励机制，即"市场失灵"与"政府失灵"。因而，解决养猪业资源环境问题，既要遵从自然生态规律构建生态链，又要遵从养猪产业发展的经济规律构建产业链；更要从制度层面建立起促使养猪业生态链与产业链"两链耦合"的长效机制，充分调动相关利益者的积极性，才能保证养猪业循环经济的可持续发展。

第 2 章
养猪业循环经济生态产业链
理论基础

随着规模化养猪业的发展，养猪业环境污染已成为我国农村面源污染的主要来源。规模化养猪业产生了严重的"畜产公害"，制约其可持续发展。养猪业的转型发展既是技术范式的革命，也是制度范式的革命，需要新的理论范式作为引领和指导。本章在对传统农业的变革和反思中，梳理国内外农业可持续发展的演进逻辑和理论基础，较为系统地对养猪业循环经济研究理论进行总结和归纳。本章以农业可持续发展理论、循环经济理论、循环农业理论、外部性理论为基础，从内涵、实质、原则和特征等方面系统分析养猪业生态产业链构建的基本原理及循环经济理论对其的指导意义。

2.1 农业可持续发展理论

2.1.1 农业可持续发展理论的内涵

迄今为止，世界农业已经历了原始农业、传统农业、石油农业三个发展阶段，目前正在向可持续的现代农业发展。发达国家大多已进入现代农业阶段，我国农业正处于由传统农业、石油农业向现代农业发展的转型期。

人类社会自从有农业以来，就存在对自然改造、征服、破坏而酿成悲剧的事件。传统农业以动植物的生长、发育规律为基础，利用动植物之间物质和能量的自然循环来保持产业内的生态平衡，很少从外部投入物质和能量，作为最早的一种自然经济形态，其本身也是一种低级的自然循环农业，对自然生态的破坏还不明显。但效率低下的传统农业与现代社会经济发展的需求越来越不适应，西方发达国家在 20 世纪中叶用机械化、水利化、化学化和电气化的石油农业取代了传统农业，大幅提升了农业生产效率。然而，以高输入、高能耗为主要特征的石油农业，用直线思维替代了天人合一思想，用单一的结构替代了多样复杂的系统结构，用大量的化肥农药等外部投入替代了内部循环（席运官，1997），进而在某种程度上导致世界性的能源危机、环境危机、生态危机和粮食危机。

西方发达国家进入工业化社会之后，由于不断且盲目地追求经济的高速增长，人口快速增长、城市畸形发展等对农产品需求不断增加，发达国家农业生产方式不断朝工业化、机械化、集约化方向发展，于是可持续发展问题日益凸显。20世纪50年代至60年代，发达国家连续发生的重大环境污染事件，以及70年代发生的全球石油、粮食、人口、环境"四大危机"，不断给人类的发展方式敲响警钟，一些有远见的人开始对工业化经济增长方式进行深刻反思。《增长的极限》《寂静的春天》就是具有划时代意义的代表作，它对传统工业化农业发展方式提出质疑，给人类毫无节制的经济增长方式敲响了警钟。

《增长的极限》是环境保护运动的先驱组织——罗马俱乐部给世界第一次展示了在一个有限的星球上无止境地追求增长所带来的后果，给人类社会敲响了第一声警钟。该书所提出的全球性问题，如人口问题、粮食问题、资源问题和环境污染问题等，早已成为世界各国学者专家们热烈讨论和深入研究的重大问题。它使人们日益深刻地认识到：工业革命以来，经济增长所倡导的"人类征服自然"模式使人与自然处于尖锐的矛盾之中，人类已遭到自然的报复，这条传统工业化的道路，已经导致全球性的人口激增、资源短缺、环境污染和生态破坏，使人类社会面临严重困境，它实际上引导人类走上了一条不可持续的发展道路。书中研究的四大危机都与农业具有紧密相关性，粮食和食物的生产及资源与环境效应的描述在书中居于中心地位；粮食安全同农业密切相关；人口、能源和环境同农业也具有密不可分的联系。事实证明，全球生态制约的观念并不是荒诞不经的。40多年过去了，世界发生了很多变化，1972年罗马俱乐部作出的预言已变得那么真实、可信。

蕾切尔·卡逊（Rachel Carson）所著的《寂静的春天》于1962年在美国问世时，当时是一本很有争议的书。该书引起全世界环境保护人士的关注，书中描述人类因为乱用农药可能会面临一个没有鸟、蜜蜂和蝴蝶的"寂静"世界。环境保护在那时并不是一个存在于社会意识和科学讨论中的概念，大自然仅仅是人们征服与控制的对象，而非保护并与之和谐相处的对象。她第一次对这一人类意识的绝对正确性提出质疑。蕾切尔·卡逊所遭受的诋毁和攻击是空前的，但她所坚持的思想为人类的环保进程点燃了一盏明亮的灯。她关于农药危害人类环境的预言，不仅受到相关生产与经济部门的猛烈抨击，而且也强烈震撼了社会广大民众。人们开始反思工业化农业发展模式到底能不能持续？正是这些有识之士的不懈努力和执著追求，促使环境保护问题提到了各国政府面前，同时各种环境保护组织纷纷成立，从而促使联合国于 1972 年 6 月 12 日在斯德哥尔摩召开"人类环境大会"，并由各国领导人签署"人类环境宣言"，开始了环境保护事业，自此可持续发展理念逐渐形成。

可持续发展（sustainable development）作为一种思想理念，可追溯到古希腊时代的"人与上帝是平等的""人与上帝合一"，反映了人希望达到与自然和谐的愿望。现代可持续发展思想可追溯到 18 世纪。1789 年，Malthus 在《人口理论》中，首次提出人口受自然资源环境制约的观点。1859 年，达尔文在《物种起源》中进一步论述了生物与环境的关系。然而，产业革命使人们长期陶醉于征服大自然的胜利中。可持续发展作为一种科学概念，第一次出现于 1980 年由国际自然保护联盟（IUCN）、联合国环境发展署（UNEP）和世界自然基金会（WWF）出版的 *World Conservation Strategy* 中。1987 年，世界环境与发展委员会发表《我们共同的未来》，第一次使用"可持续发展"的独立概念，并提出可持续发展的三项基本原则——持续性、公平性和共同性，极大地推动了可持续思想的发展。1992 年，联合国环境与发展大会顺利通过《里约宣言》并制定《21 世纪议程》，加快了可持续发展由理论迈向实践的步伐。

1987 年布伦特兰夫人在《我们共同的未来》中，将"可持续发展"定义为"既满足当代人的需求又不危害后代人满足其需求的发展"。这一概念是一个涉及经济、社会、文化、技术和自然环境的、综合的、动态的概念。其从理论上明确了发展经济同保护环境和资源是相互联系，互为因果的观点，这一概念被广泛引用和认可。《我们共同的未来》提出要变革人类沿袭已久的生产方式和生活方式；对可持续发展模式进行理性设计，人类应当追求高产低耗，能源应当被清洁利用，粮食需要保障长期供给，人口与资源应当保持相对平衡的生产生活方式。只有妥善解决人类需求与环境制约的矛盾，才能实现协调可持续发展。

我国是个农业大国。农业可持续发展的思想是在 20 世纪 80 年代中期伴随可持续发展思想与理念引入中国的。它与我国提出的"生态农业"思想有很多共通之处，核心都是要尊重农业经济发展规律和自然生态规律，但内涵和外延还是存在区别。与"生态农业"相比，农业可持续发展拥有更丰富的内涵，主要包括以下几个方面。

（1）农业可持续发展强调农业与农村发展的可持续性

农业的发展是必然的、必需的也是必要的，但要有长远和全局的眼光，不能急功近利，仅仅着眼于短期的经济增长，更不能因为暂时的经济利益而竭泽而渔，牺牲长远发展的能力。要保持农业与农村发展的高效性，在发展的前提下，不仅强调量的增长，也要注重质的提高，农业可持续发展要将工业化农业的"高投入、高消耗、高增长、高污染、低效益"的"四高一低"模式，转变为追求"低投入、低消耗、低污染和高效益"的"三低一高"模式。农业与农村发展必须与资源环境相协调，发展的过程中要注重自然资源的可持续利用和生态环境的保护，促进农村经济与社会、生态、环境的全面、协调、可持续发展。农业的可持续发展注重公平，对于当代人而言，要致力于解决两极分化问题，缩小贫富差距，对于后代人而言，要合理利用自然资源，不能因为自身发展的需要损害子孙后代的利益。

（2）农业可持续发展要遵从自然生态和社会经济发展的双重内在规律

农业生产系统不仅是一个生态经济系统，也是一个投入产出的生产系统，受到自然生态和经济社会的影响，有着自下而上的层次，在不同层次上受不同的生态、经济和社会因素的影响（陈珏，2008），如图2-1所示。所以，在说明农业的"持续性"与"不可持续性"时，就要考虑自然资源利用方式、农业生产活动的持续性，以及隐含在农业生产活动中的人口因素、社会因素、市场因素、制度因素和技术因素的影响（牛文元等，1994）。农业可持续发展强调保持农村经济与社会系统的良性循环，它要求在农业的发展过程中降低资源的消耗程度，同时提高单位资源的生产能力，强调尽量通过系统的内部调控减少外部投入，合理有效地组织农业系统的整体生产。

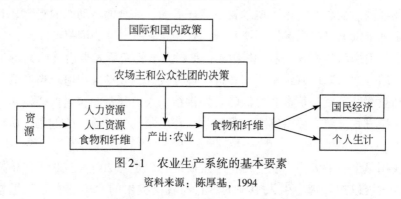

图2-1　农业生产系统的基本要素

资料来源：陈厚基，1994

（3）农业可持续发展的内容仍是"三农"问题

"三农"问题始终是中国农业发展的核心问题，是可持续农业与农村发展的中心内容，农村的全面进步、发展和提高，是可持续农业与农村发展的客观要求。要用现代科学和现代工业武装农村，用现代科学管理农村，建设现代化农业和第二、第三产业，实现农村经济和社会的全面繁荣，将农村变成经济发达、生活富裕、环境优美、文明健康的社会主义新农村；农民是农业、农村的主体，要重视解决农民问题，必须加强农民的主动性、积极性和创造性，维护农民的经济利益，保障农民的民主权利，加强对农民的引导和教育。

（4）农业可持续发展强调综合整体效益

农业与农村发展追求的不是片面增长带来的经济效益，而是经济效益、社会效益、生态效益相统一综合整体效益。马克思、恩格斯在讨论农业发展过程时指出，"经济在生产过程中，不管它的特殊的社会性质如何，在这个部门（农业）内，总是同一个自然再生产过程交织在一起的"。也就是说，农业生产是经济再生产和自然再生产的统一，农业生产受自然资源的制约和影响，对生态环境和自然条件具有很强的依赖性。农业可持续发展就是要处理好人与自然的关系，维护自然资源的基础、资本的总储备、系统所依赖的环境资源和生态功能，实现资源的永续利用，提高农民收入和素质，实现农村社会的发展以及人与人之间的公正、和谐，实现生态持续性、经济持续性和社会持续性的协调统一（陈珏，2008）。

2.1.2 农业可持续发展理论实质

我国是农业大国，农业的存在已有一万多年的历史，农业关系到我国所有人的吃饭问题。不论是发达国家的"工业化农业"还是发展中国家的"绿色革命农业"，都是通过高性能、高效率的外部物质能量（如石油、化肥、农药等）的集约投入来打破传统农业封闭的、低效的物质能量循环，提高土地生长率、劳动生产率，增加农产品的供给。然而，常规农业发展模式的弊端也越来越明显，农业的边际效益越来越低，更为重要的是，生态环境遭到严重的破坏，农业资源的可得性也越来越低（周兴河，2000）。因此，作为国民经济的基础，农业必须走可持续发展道路。

农业可持续发展要求重视可更新资源的利用，减少化学资源的投入，做到保护资源、改善环境与农业发展的统一（付玉秋，2010）。可持续发展农业与国外学者提出的生态农业、有机农业、生物农业、绿色农业等具有相同的内涵。从目前来看，学术界对可持续发展农业的概念主要有以下几种观点：

发达国家根据其农业发展面临的问题，认为农业可持续发展在战略上应强调资源、生态、环境保护，要求农业成为一种无污染产业。美国内布拉斯加州合作推广系统认为："可持续农业是一种经营战略的体现与结果，它帮助生产者选择品种、确定土壤肥力对策、种植制度、耕作方式、轮作方法及病虫害防治策略，其目的在于降低成本，减少对环境的压力，保证生产与盈利的可持续发展。"美国农业部将可持续发展农业定义为"一种完全不用或基本不用人工合成的化肥、农药、动植物生长调节剂和饲料添加剂的生产体系"。加拿大农业学者认为："持续农业是一种在经济上可行，能够满足社会对安全和营养的食物需求，同时又能为今后几代人增强自然资源和环境质量的体系。"

国际农业磋商小组技术咨询委员会认为："持续农业应该涉及在保护或加强环境的质量和保持自然资源的同时，成功地管理资源，以满足不断增长的人类的需要。"世界资源研究所下属的发展中国家农业可持续发展委员会认为："可持续农业是在不破坏甚至提高农业所依赖的资源基础的同时，满足人类不断增长的需求的农业系统。"

联合国粮农组织（FAO）于 1988 年指出："可持续农业是管理和保护自然资源基础，并调整技术和机构改革方向，以确保获得足够的农产品来持续满足当代和后代人的需要。这种持续发展（包括农业、林业和渔业）能够保护土地、水资源和动植物基因资源，而且不会造成环境退化，同时要在技术上适宜、经济上可行，并且能够被社会接受。"FAO 于 1991 年在《丹博斯宣言》中再次定义农业与农村发展（SARD）："在合理利用和维护资源与环境的同时实行农村体制改革和技术革新，以生产足够的食物和纤维，来满足当代人类及其后代对农产品的需求，促进农业与农村的全面发展。"

我国学者对可持续发展农业有一个比较一致的看法：可持续发展农业是以生态学、经济学理论为依据，运用现代的科技成果和现代化的管理手段，在某一特定的区域内所形成的社会效益、生态效益和经济效益相统一的农业。尽管国内外对可持续发展农业概念的表述不尽相同，但其保护农业生态环境，实现农业、农村与自然生态环境全面协调可持续发展的理论实质却是相同的，即都强调同时满足当代人以及后代人的需求，保持资源与环境的永续利用，以及自然系统与经济系统的优化。

2.1.3　农业可持续发展理论特征

今天的农业发展必须建立在能为未来的农业发展留下足够空间的基础之上，以确保后代也能拥有足够的发展机会。具体来说，主要体现在生态、经济、社会、生产四个方面的可持续性上，即在生态上要保证农业自然资源的永续利用和农业生态环境的良好维护，在经济上可以自我维持和自我发展，在社会上能满足人类衣、食、住、行等基本需求和农村社会环境的良性发展，同时，能够着眼于未来生产率和产量，在生产上保证高产出水平的长期维持。

需要强调的是以上四个方面并不是独立存在的，而是一个相辅相成的有机整体，农业的可持续发展必须从长期、动态的角度，形成四个方面的完美结合。由此，可以总结出农业可持续发展的三大基本特征。

1. 可持续性

农业可持续发展强调农业的发展必须要注重生态环境的保护和自然资源的合理利用，特别是对不可再生资源的开采利用，不能出现只顾眼前利益而忽视农业的持续生产能力，削弱农业赖以发展的自然基础条件的行为。所以，农业可持续发展是既满足当代人的需求，又不对后代人满足其需求的能力构成危害的发展。

2. 协调性

农业可持续发展强调生态、经济、社会、生产的协调，发展的过程中需要注重这四个方面的有机结合；强调代际的协调，当代人在发展的过程中同时要考虑后代人的发展需要；强调农业与其他产业部门的协调，农业在发展过程中也需要其他系统的支持，实现共同、协调发展。

3. 可行性

农业可持续发展并不只是一种口号，技术上必须适当，技术的采用能切实增强农业的可持续性，同时也是可以付诸实施的；经济上需要可行，要注重成本的投入，确保可持续发展农业所带来的收益大大高于成本，做到农业经营有利可图；保证社会稳定，农业制度与技术的变革在某种程度上可能引起社会的动荡，而这种动荡必须控制在社会可接受的范围内，不会引起大的社会动乱。

2.2 循环经济理论

2.2.1 循环经济理论的内涵

循环经济（circular economy）发端于对传统工业化增长模式的反思，它是工业文明危机及工业化社会经济发展方式危机的产物。"循环经济"一词最早由美国生态学家鲍尔丁（Boulding）于 20 世纪 60 年代提出，他在著名的"宇宙飞船理论"中首次提出"循环经济"的概念，主张需要建立"循环式经济"替代"单程式经济"，即由传统的"资源—产品—废弃物"形成的单向流动的线性经济转向"资源—产品—废弃物—再生资源"组成的循环反馈式模式。

诸大建首次将循环经济理念引入中国，并确立了"3R"（reduce, reuse, recycle）原则的中心地位。随后，学者们从不同角度对循环经济进行界定，但仍莫衷一是。邹平座（2005）认为循环经济包含两层含义：一是生态意义的环保循环，当然这个环保循环是广义的，既包含自然资源等物质资源，又包含人力资源、知识文化等软科学资源；二是经济意义上的经济循环，达到目标产出和目标利润，最终能够实现价值的最大化。而以冯之浚（2004）为代表的学者认为循环经济的实质是一种生产技术范式革命。随后，王兆华（2007）进一步拓展了这个内涵，他指出循环经济的实质就是通过生产方式的根本转变，以结构生态重组转型为核心的产业生态化以及相应的制度创新。此外，还有从经济、社会、环境关系优化角度和生态经济角度等方面进行的界定。同时，在经济活动过程中形成的单个企业、区域层面、社会层面三个层面上的物质闭型经济模式，使循环经济理论在实践方面有了突破性的进展。

循环经济本质上是一种生态经济，是建立在经济、社会和环境协调发展基础上的，与传统的"资源—产品—废弃物"单向流动的线性经济不同的一种新型经济发展模式，即将这一传统线性发展模式改造为"资源—产品—再生资源"的物质循环模式，如图2-2所示。循环经济是以物质循环、能量梯次使用和闭路循环为特征，以"减量化、资源化、循环化"为原则，在资源投入上，实现源头低投入；在生产环节上，实现资源多次循环使用，提高利用率；在废物排放上，实现低污染、低排放，甚至是零污染，它倡导的是一种与环境和谐统一的经济发展模式。宏观上，循环经济要求各领域、各环节建立和完善循环利用体系；微观上，要求每个环节延长和拓宽生产链条，达到产业间的共和（白金明，2008）。学者们虽然对循环经济的界定不尽相同，但目标都是为了实现资源节约和环境保护，体现了环境保护的重要性。

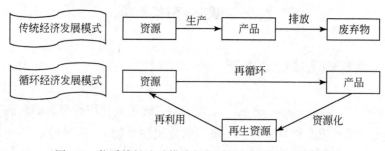

图2-2 物质线性流动模式与物质循环流动模式流程图

2.2.2 循环经济原则

循环经济基本原则源于美国杜邦公司的"3R"制造法（徐卫涛，2010），指减量化原则、再利用原则和再循环原则。在循环经济中，"3R" 原则的顺序，首先是减量化，其次是再利用，最后是再循环，其重要性不是并列的，不能随意变动。把养猪业循环经济视为循环经济在养猪业领域中的应用，从这个角度，学者们在依据循环经济 "3R" 原则的基础上，结合养猪业的特点，将 "3R" 原则引入养猪业循环经济中，即减量化、再利用和资源化。

一是减量化原则。减量化原则属于输入端方法，指在生产和服务过程中，尽可能地减少资源消耗和废弃物产生，提高资源利用效率。减量化原则是采用从源头控制的思路，在养猪业生产过程乃至生猪产品生命周期中，减少资源、物质等的投入量以及废弃物的产生量，并充分利用养猪业产生的大量废弃物，"变废为宝"。它要求，一方面，通过减少进入养猪业生产和消费过程的物质流和能量流，节约资源；另一方面，通过提高资源的利用率，预防污染物的产生和控制污染物的排放量。栾冬梅和魏国生（2003）认为，最大限度地提高猪对营养物质的消化利用率和减少粪尿的排放量，是消除养猪业环境污染的治本之举。她还提出，可以先准确估计营养物质的利用率和猪对营养物质的需要量，在此基础上按理想蛋白模式配置符合猪需要的平衡日粮，同时选用环保型饲料添加剂，这些措施可以有效地提高饲料利用率、减少粪尿的排放量。

二是再利用原则。再利用原则属于过程性方法，是指通过建立 "生产—消费—生产" 的物质循环系统，使产品循环复始而再次重复利用（徐卫涛，2010），达到延长时间强度和使用效率的目的。它属于过程控制方法，即尽可能多频次、多用途地以初始的物理形态和结构形式使用所购买的农产品和服务，其目的是延长它们的时间强度，提高物质和能量的利用率。在养猪业生产中，应努力深层次分析挖掘原来产品中未能利用的有机组成物质，利用各种科学技术手段，发展高附加值农产品或者开发系列新产品，延长养猪业产业链条。王林云（2004）认为，应重新审视 "玉米—豆粕型" 口粮，可以利用城市泔水、各种果皮、藻类等饲料资源。他的这一建议充分延长了果皮、藻类等的时间强度，提高了资源利用率，也节省了成本。

三是资源化原则。资源化原则即把物品使用后再次变为可再生资源，它属于终端控制方法，本质上是事后处理型的末端治理的手段。它将生产和消费过程中产生的废弃物，资源化处理成可回收利用的资源，使其重新纳入生产和消费的循环过程。陶新等（2007）提出，资源化原则就是在养猪业活动的终端尽可能地把废弃物再次变成资源，以确保养猪业的无害化生产。采用干清粪工艺实现干粪和污水分离，一方面，可以将经生物发酵后的粪便处理成优质肥料或者饲料；另一方面，还可以将污水用于厌氧发酵制取沼气，既减少自然资源的消耗，又减少污染物排放，从而形成良好的经济效益和生态效益。

2.2.3 循环经济特征

循环经济要求用生态学规律来指导人类社会经济活动，倡导的是一种与环境和谐的经济发展模式（齐振宏，2003）。与传统经济模式相比，其特征如表2-1所示。

表 2-1　循环经济与传统经济的基本特征对比

编号	内容	传统经济	循环经济
1	指导思想	机械论规律	生态学规律
2	物质运动方式	"资源—产品—污染排放"单向性	"资源—产品—再生资源"循环闭合
3	经济增长方式	数量型增长	内生增长型
4	资源使用特征	高开采、低利用、高排放	低开采、高利用、低排放
5	对环境影响	牺牲生态和环境，环境不友好	环境友好
6	污染治理方式	生产过程末端治理	全程跟踪监测治理管理
7	经济评价指标	单一的经济指标	绿色核算体系
8	经济发展要素	土地、劳动力、资本	劳动力、资本、环境、自然资源和科学技术
9	发展目标	经济效益最大化	经济、社会、环境协调发展
10	企业责任	利润最大化、污染治理外部化	清洁生产基础上利润最大化、污染治理内部化

养猪业循环经济的特征既遵循循环经济的一般特征，同时又具有养猪业循环经济的特殊性，其特征主要体现在道德观、系统观、经济观、价值观、生产观、发展观六个方面。

1. 养猪业循环经济道德观是生态的道德观

一直以来，人们相信"人定胜天"，认为人类是大自然的主宰，而养猪业循环经济将"以人类为中心"转向"以生态为中心"（冯之浚，2003），强调人与自然生态的密不可分，在发展养猪业的同时，要充分考虑自然生态的承载力，也需要对自然进行维护和管理；更强调人们在发展的同时将后代的发展纳入考虑范围，注重同代人之间的公平和代际的公平，这是人的基本道德（田春秀，2003）。

2. 养猪业循环经济系统观是循环的系统观

循环是指在一个特定的系统内以回路的方式运行，养猪业循环经济的系统是由人、自然、资源和技术等要素构成的大系统，进入系统的物质和能量要得到最大限度的利用，从而形成"低投入、低消耗、低增长、低污染、高效益"的结果。养猪业循环经济的系统观认为，人在考虑养猪业发展时，不能将养猪业独立出来，而是要将养猪业作为整个生态系统的一部分，充分认识到生产、消费、资源与环境整个生态系统的全面协调可持续发展。

3. 养猪业循环经济观是平衡发展的经济观

在目前的养猪业发展模式中，自然资源并没有形成循环，大量粪便资源被浪费，未能"变废为宝"。养猪业循环经济观则要求养猪业经济发展要考自然环境和资源的承载能力。如果养猪业的发展超过了自然环境和资源的承载能力，这种循环就是恶性循环，会造成生态系统退化，只有在自然环境和资源承载能力之内的良性循环，才能使养猪业与生态系统平衡地发展。

4. 养猪业循环经济价值观是环境的价值观

循环经济价值观认为，自然环境同样具有一定的价值，它不仅仅是可利用的资源，更是人类赖以生存的基础。养猪业不能将大自然作为"取料场"和"垃圾场"，人类在进行养猪业的各项发展活动时不能降低环境的价值。同时，发展养猪业所带来的经济价值必须与其所造成的社会价值和环境价值相统一，追求社会经济与人文协调发展"效益"和"效率"的最大化，不以无节制地耗用资源、能源、污染环境、破坏自然生态为代价（朱明峰，2005）。

5. 养猪业循环经济生产观是节约的生产观

传统的生产观是最大限度地开发利用自然资源，最大限度地创造社会财富，最大限度地获取利润。而养猪业循环经济的生产观念是要充分考虑自然生态系统的承载能力，尽可能地节约自然资源，不断提高自然资源的利用效率，循环使用资源，创造良性的社会财富（梁木梁和朱明峰，2005）。

6. 养猪业循环经济发展观是可持续的发展观

在考虑养猪业经济价值时，不能够仅仅用养猪业自身的经济收益来衡量，更重要的是需要考虑自然、经济、社会的协调发展，强调改善环境就是发展生产力（张坤，2003）。养猪业循环经济遵循减量化、资源化、再利用原则，把养猪业发展与资源环境的可持续性有机结合、协调发展。

2.3 两型农业

2.3.1 "两型农业"内涵

鉴于农业在我国国计民生中的基础地位,以及在其发展过程中需要克服的种种矛盾和挑战,十七届三中全会根据我国全面建设小康社会奋斗目标和建设社会主义新农村的新要求,明确提出要加快破除城乡二元体制,加快转变农业生产方式,确立了农村改革发展基本目标之一,即到 2020 年资源节约型、环境友好型农业(简称"两型农业")生产体系要基本形成,农村人居和生态环境要明显改善,可持续发展能力要不断增强。"两型农业"是一个富有中国特色的概念,国外并无此理论术语。对于"两型农业"的具体概念,目前理论界并没有一个统一的定义,不同的学者从不同的角度进行了讨论。根据文献研究,目前有以下几种代表性的观点。

1. 经济学意义上的"两型农业"概念

农工党中央认为"两型农业"主要是指最大限度地节约农业生产要素,最大限度地减弱农业生产的外部性副效应。这个定义主要强调资源的减量化投入和对环境的负外部性,可以说,抓住了"两型农业"的核心特征。

2. 循环经济意义上的"两型农业"概念

不少学者(孙佑海,2009;周栋良,2010)认为"两型农业"的实质就是循环经济在农业上的运用,就是农业循环经济,或者叫循环农业。循环经济将传统的"资源—产品—废弃物"单向线性经济转变为"资源—产品—废弃物—再生资源"的循环经济,将传统"高投入、高消耗、高污染、低效益"的"三高一低"模式转化为"低投入、低消耗、低污染、高效益"的"三低一高"模式。循环经济要求生产过程中遵循"3R"原则,即减量化(reduce)、再利用(reuse)、资源化(recycle)原则。循环经济与"两型农业"强调最大限度地节约资源和环境友好特征完全是一致的,因而"两型农业"本质上就是循环经济。

3. 资源环境意义上的"两型农业"概念

匡远配和曾锐(2009)认为建立"两型农业",就是以提高资源利用效率、降低污染排放和生态损耗强度为核心，以节能、节水、节材、节地、资源综合利用和有效保护、改善环境为内容，以最少的资源消耗和环境代价获得最大的经济利益和社会效益。这个概念强调了"两型农业"要着力解决的资源与环境方面存在的突出矛盾与问题。

4. "两型社会"意义上的"两型农业"概念

更多学者（马德福和刘秀清，2010）认为，"两型农业"是与"两型社会"相对应的现代农业发展模式。其内涵包括密切相关的两个方面，即资源节约和环境友好。资源节约就是对农业资源或农业生产投入物的节约。节约型农业是建设节约型社会的重要内容，是以提高资源利用效率为核心，以节地、节水、节肥、节农药、节种子、节能和农业资源的综合循环利用为重点的农业生产方式。环境友好就是一种以环境承载力为限度，遵循自然规律的、人与自然和谐的经济发展模式，遵循的是"农业资源—绿色农产品—再生资源"的反馈式流程，其特征是低资源能源消耗、高经济效益、低污染排放和低生态破坏，即循环农业经济发展模式。资源节约和环境友好是互为因果、相互促进的有机整体。

5. 科学发展观意义上的"两型农业"概念

2008年11月14日，新华社对中共十七届三中全会通过的《关于推进农村改革发展若干重大问题决定》进行了权威解读，认为建立"两型农业"生产体系，就是按照科学发展观的要求，紧紧围绕转变农业发展方式，以提高资源利用效率和生态环境保护为核心，以节地、节水、节肥、节药、节种、节能、资源综合循环利用和农业生态环境建设保护为重点，大力推广应用节约型的耕作、播种、施肥、施药、灌溉与旱作农业、集约生态养殖、秸秆综合利用等节约型技术，大力推广应用减少农业面源污染、减少农业废弃物生成、注重水土保持和生态建设等环保型技术，大力培养农民和农业企业的资源节约和环境保护观念，大力发展循环农业、生态农业、集约农业等有利于节约资源和保护环境的农业形态，促进农业实现可持续发展。

尽管上述研究的视角有些不同，但都从不同方面阐述了"两型农业"的含义。"两型农业"实际上具有非常丰富的内涵，概括起来，本书认为"两型农业"生产体系就是围绕转变农业生产方式，以提高资源利用效率和保护环境为核心的新型农业生产体系。其根本目的是转变农业发展方式，主要目标是发展优质、高产、高效、生态、安全的现代农业，核心内容是提高资源利用效率和保护生态环境，依靠技术创新和政策创新，大力发展循环农业、生态农业、集约农业等有利于节约资源和保护环境的循环经济农业形态，促进农业实现可持续发展的综合生产体系。目前，最主要的问题就是要解决农业发展与资源、环境的尖锐矛盾，其实质就是发展农业循环经济，其根本目的就是转变农业生产方式，实现资源节约和环境友好，统筹人与自然的和谐相处，从而实现农业可持续发展。

2.3.2 "两型农业"基本特征

1. 新的发展观

目前，我国农业面临人口多耕地少、资源紧缺、生态脆弱、环境恶化、气候暖化等现实情况，对粮食安全和可持续发展构成了严峻挑战和威胁。借鉴国内外传统农业发展的经验教训，我国农业必须以科学发展观为指导，摒弃以牺牲资源环境为代价片面追求经济效益的传统粗放型农业增长方式，加快转变农业发展方式，从根本上破解制约我国农业发展的资源环境瓶颈约束问题。尊重自然生态和经济发展规律，正确处理农业发展与资源节约、环境保护之间的关系，减少资源与环境资产的损耗，促进经济、生态、社会的良性循环，实现人与自然的和谐统一，促进农业的可持续发展。

2. 新的生产观

我国传统农业的生产方式是"高投入、高消耗、高污染、低效益"的"资源—产品—废弃物"的线性生产模式。而"两型农业"生产体系的生产方式是要充分考虑农业资源的稀缺性、生态环境的承载力，大力倡导"资源—产品—再生资源"的循环农业模式，以"低投入、低消耗、低污染、高效益"为基本特征，在生产过程中始终遵循的是减量化、再利用和资源化的原则，努力实现经济效益、生态效益和社会效益的有机统一，是生产范式的变革，体现了新的生产观。

3. 新的消费观

传统的农业发展方式是将物质生产和消费割裂开来的，形成"大量生产、大量消费、大量废弃"等严重的资源环境问题，出现生态环境的恶性循环。而"两型农业"将生产和消费这两个重要环节有机地联结起来，不仅强调在农业生产中要节地、节水、节种、节肥、节药、节电、节柴、节油、节粮、减人等"九节一减"，而且通过"资源—产品—废弃物—再生资源"的循环过程，以尽可能少的生态资源消耗和生态环境成本，获得尽可能多的经济、生态和社会效益，强调生产和消费的减量化、再利用和资源化，在生产的同时就要考虑消费，在消费的同时就要考虑废弃物对资源环境的影响，促进农业生产与资源环境的协调发展，这是对"大量生产、大量消耗、大量废弃"的根本变革，树立了节约资源和保护环境的消费观，是消费方式的变革。

4. 新的价值观

传统农业把自然资源看成是取之不尽、用之不竭的资源，认为生态环境具有无限的承载力，自然资源和生态环境是没有价值的。人处于世界主宰和支配的地位，一切都是以人为目的，在功利主义、实用主义和享乐主义价值观影响下，人类贪婪地从大自然中索取，只要为了人的生存、发展甚至享乐，可以不惜以牺牲自然资源、生态环境为代价，从而形成经济发展与资源环境之间关系、人与自然之间关系的恶性循环和尖锐冲突。"两型农业"认为自然资源是稀缺的，生态环境容量是有限的，而且是有价值的。农业的发展必须遵循生态经济规律，必须考虑资源容量和生态环境承载力，以尽可能小的资源环境消耗和生态环境成本，获得尽可能大的经济、生态和社会综合效益，促进农业发展与资源环境的协调发展，建设人与自然和谐统一的生态文明价值观。

2.3.3 "两型农业"与传统农业生产体系的比较

第二次世界大战后，面对世界人口膨胀对粮食需求的不断增长，世界各国都在寻求增加粮食产量、消除饥饿的农业革命。以美国为首的西方发达国家面对日益昂贵的农业生产要素（人力、畜力和土地等），相继建立了以廉价石油为基础的高度工业化的工业式农业（industrial agriculture），通常叫做石油农业或者化学农业。石油农业通过大量的化肥、农药、农膜等化学品投入，创造农产品增产、农业生产率提高的奇迹，缓解人口激增与粮食需求之间的尖锐矛盾，在农业史上具有重要作用，但伴随而来的负面问题日益凸显，突出的是资源枯竭、环境恶化、自然灾害频发等一系列灾难性后果，导致世界性的能源危机、环境危机和生态危机。"两型农业"就是在我国逐渐认识到石油农业带来的高能耗、高投入、土壤退化、环境污染等问题，为了应对资源、环境危机，改善农业生态环境，转变农业发展方式，实现农业可持续发展路径的情况下提出的，与传统石油农业生产体系有很大不同（表2-2）。

表 2-2　"两型农业"生产体系与传统农业生产体系的比较

项目	"两型农业"生产体系	传统农业生产体系
技术范式	循环经济模式	线性经济模式
基本特征	低投入、低消耗、低污染、高效益	高投入、高消耗、高污染、低效益
基本目标	优质、高产、高效、生态、安全；经济效益、生态效益和社会效益统一	高产；经济效益
指导思想	可持续发展观、科学发展观	机械主义发展观
前提假设	资源稀缺的、有价值的；生态环境承载力有限	自然资源是无限的、无价值的；生态环境容量是无限的
实践模式	循环农业、生态农业、集约农业	石油农业、化学农业、机械农业
生产与资源、环境的关系	生产系统与资源环境生态系统良性循环	生产系统与资源环境系统尖锐冲突
人与自然关系	人与自然和谐	人与自然对立

由表 2-2 可以看出，"两型农业"的实质是循环经济，其主要内容就是资源节约与环境友好。我国发展"两型农业"是基于中国国情和现阶段农业发展新特征的必然选择；是落实科学发展观，加快转变农业发展方式，破解资源环境瓶颈约束的需要；是发展生态文明，统筹协调人和自然和谐发展的需要；是加快建设"高产、优质、高效、生态、安全"现代农业的需要；是保障粮食安全与农产品有效供给的需要；是提高农业综合发展力，保证我国农业可持续发展的需要。

2.4　外部性理论

2.4.1　外部性理论内涵

外部性现象是日常生活中相当普遍的一种经济现象（冯新，2010），是指在实际经济活动中，生产者或者消费者的活动对其他生产者或消费者带来的非市场性影响。自 19 世纪末英国新古典学派经济学家马歇尔提出外部性概念以来，学者对外部性理论的研究层出不穷。外部性理论虽然出现较晚，但其在经济学界占有十分重要的地位，是新古典经济学和新制度经济学的重点研究对象（王淑贞，2012）。

外部性也称为外部成本、外部效应。对于外部性的具体概念，归结起来主要有两类。一是从外部性的产生主体角度来定义，如萨缪尔森和诺德豪斯认为，外部性是指那些生产或消费对其他团体强征了不可补偿的成本或给予了无需补偿的收益的情形。二是从外部性的接受主体来定义，如兰德尔提出外部性是用来表示当一个行动的某些效益或成本不在决策者的考虑范围内的时候所产生的一些低效率现象，也就是某些效益被给予，或某些成本被强加给没有参加这一决策的人（蒋舟，2013）。外部性理论的演进，经历了一个漫长的过程。

1776年，经济学鼻祖亚当·斯密在《国富论》中提到，"自然的经济制度（即市场经济）不仅是好的，而且是出于天意的，因为在其中每一人改善自身处境的自然努力可以被一只无形的手引导着去尽力达到一个并非他本意想要达到的目的"。在某种程度上来说，这可以算是外部性思想的起源。1887年，亨利·西奇威克在他出版的《政治经济学原理》一书中指出，"个人并不总能通过自由交换得到与他所提供的劳务适当的报酬"。这一观点中也包含的外部性思想的影子。

直到1890年，剑桥学派的阿尔弗雷德·马歇尔在《经济学原理》中写道："对于经济中出现的生产规模扩大，我们是否可以把它区分为两种类型，第一类，即生产的扩大依赖于产业的普遍发展；第二类，即生产的扩大来源于单个企业自身资源组织和管理的效率。我们把前一类称作'外部经济'，将后一类称作'内部经济'。"马歇尔提出"外部经济"和"内部经济"的概念，分析了单个厂商的生产扩大与其自身以及整个行业经济运行状况之间的关系，说明行业变化与产量变化之间的相关关系，并得出结论："第一，任何货物的总生产量的增加，一般会增大这样一个代表性企业的规模，因而就会增加它所有的内部经济；第二，总生产量的增加，常会增加它所获得的外部经济，因而使它能花费在比例上较以前为少的劳动和代价来制造货物。"从此之后，外部性理论得到了迅猛发展。

马歇尔通过研究企业的外部环境对企业的影响提出"外部经济"的概念。1920年，马歇尔的学生庇古在借鉴老师的概念和研究方法的基础上，在《福利经济学》一书中进一步研究和完善了外部性理论，提出"外部不经济"的概念，他将马歇尔的研究进行了深层次的扩展，研究企业自身的行为对企业外部环境的影响，在此研究基础之上，庇古总结出"私人收益与社会收益不一致，私人成本与社会成本不一致"的外部性概念，庇古从社会资源最优配置的角度出发，利用边际分析法，提出边际社会净产值和边际私人净产值，据此提出外部性理论。庇古认为，外部性可以分为正外部性和负外部性，当边际私人成本大于边际社会成本、边际私人收益小于边际社会收益时，则称其为"外部经济"，也即正外部性；如果边际私人成本小于边际社会成本、边际私人收益大于边际社会收益时，则称其为"外部不经济"，也即负外部性。

1924 年，奈特对庇古理论提出质疑，他的观点是，"外部不经济"现象的产生是因为对稀缺资源没有明确的产权界定，如果将稀缺资源稀有化，"外部不经济的状况"将得以克服。1943 年，奈特的观点得到了埃利斯和费尔纳的认同，他们也认为"外部不经济"与产权有关，但是，相比于奈特，他们关注的焦点更加集中于现实生活中的"外部不经济"现象，并将环境污染等问题与"外部不经济"联系在一起。

1960 年，科斯在《社会成本问题》一书中指出，在交易费用为零的条件下，庇古的观点是完全不正确的，因为理性的主体总会将外溢的成本和收益考虑在内，无论初始权利如何分配，最终资源都会实现最优配置，因此，社会成本问题就不存在了。科斯认为，庇古等福利经济学家对外部性问题没有得出正确的结论，表面原因是分析方法上的不足，而根本原因在于福利经济学中的方法存在根本缺陷（徐桂华和杨定华，2004）。与奈特等一样，科斯认为解决外部性问题的思路，就是要将外部性问题转变成产权问题，他的"交易成本"概念的提出，为奈特等的研究提供了更广阔的空间。

1970 年，著名的华人经济学家张五常在其发表的《合约结构与非专有资源理论》文章中指出，每一种经济行为都有其效应，产生大量"外部性"的原因主要是：缺乏签约权；合约存在，但条款不全面；有些条款不知由于什么原因与一些边际等式不相符。张五常认为，只要存在稀缺资源，所有的私有产权都不会完全和绝对有效，都会在产权的边界处留下公共区域，因此外部效应就是必然存在的。而社会采用私有产权还是保持公共区域，或采用其他方式的契约关系，取决于不同契约之间的交易费用比较（徐桂华和杨定华，2004）。所以在张五常看来，"外部性"的概念其实是没有意义的，交易费用才是问题的关键，而且"外部性"概念界定不清，"合约理论"更能说明问题。

经济学界一般认为马歇尔的"外部经济"、庇古的"庇古税"、科斯的"科斯定理"是外部性理论发展历程中的三个里程碑。张五常虽然觉得外部性理论没有意义，但是新兴古典经济学也并不能彻底否定外部性理论（沈满洪和何灵巧，2002）。

为了更好地研究外部性理论，一般可将其从以下几个角度进行分类：按照外部性的影响效果，可以分为外部经济与外部不经济；按照外部性的产生领域，可以分为生产的外部性与消费的外部性；按照外部性产生的时空，可以分为代内外部性与代际外部性；按照外部性产生的前提条件，可以分为竞争条件下的外部性与垄断条件下的外部性；按照外部性的稳定性，可以分为稳定的外部性与不稳定的外部性；按照外部性的方向性，可以分为单向的外部性与交互的外部性；按照外部性的根源，可以分为制度的外部性与科技的外部性（沈满洪和何灵巧，2002）；按照和帕雷托的相关性可分为帕雷托相关的外部性和帕雷托不相关的外部性；按照竞争性和排他性可分为公共外部性和私人外部性（李世涌等，2007）。良好的分类可以使有关于外部性的研究更加深入。

2.4.2 环境外部性

环境外部性可分为外部经济性与外部不经济性，外部经济性指某项活动使得社会收益高于个体收益的情况，即某项活动对周围事务造成良好影响并使周围的人受益，而行为人并未从周围取得额外的利益，如种花人家使周围邻居都享受到花的芳香和美丽。外部不经济性指某项活动使社会成本高于个体成本的情况，即某项活动对周围事务造成不良影响，而行为人并未为此付出任何补偿费，如养猪户随意丢弃病死猪，造成水资源污染，给下游居民饮水安全带来威胁。因此，在环境保护领域，对促使人们无偿享受福利或收益的行为应予补偿，对使人们受损害的行为应采取措施进行规避，以防其行为产生的负外部性蔓延（吴松强等，2009）。

改革开放以来，我国养猪业发展迅速，养猪业已成为我国农业和农村经济的支柱产业（邵锦香，2004）。但养猪业是资源消耗型、环境污染型产业，养猪业在迅速发展的同时，由于农户缺乏环保意识，政府相关配套处理设施、技术指导和监督不到位，养猪业污染对环境和人体健康的影响也越来越大（炳军等，2012）。特别是 2013 年 3 月上海市发生的"死猪漂浮事件"引起了社会的广泛关注，7 月海南罗牛山猪场污染事件再次在社会上引起了巨大的反响，这为养猪业生态安全敲响了警钟，养猪业生态产业链的建立刻不容缓。

养猪业既是资源消耗型产业，也是环境污染型产业。养猪业发展所需的资源和排除的废弃物都具有类似性，特别是全国大部分的散养户，由于养殖模式传统、落后，养殖技术水平低以及环保意识薄弱，再加上乡村家庭式养猪密度不断提高，资源消耗量大，造成面源污染，从而形成污染放大效应。在"死猪漂浮事件"中，嘉兴市畜牧局的数据显示，目前嘉兴养猪户达到 13 万户，每年饲养生猪超过 700 万头，出栏数达到 450 万头。由此可见，嘉兴市养猪密度较大，由养猪业产生的废弃物规模也较大。从经济学角度来分析，养猪业污染形成的内在原因是养猪业环境的外部不经济性。养殖户在进行生产决策时，只顾生产而没有考虑废弃物对环境的污染，并且这种污染对生活在周围的居民造成困扰。即使养殖户考虑到污染治理问题，但边生产边治理会增加生产成本，从而减少经营收入，养殖户也就没有动力去承担治污成本。这种行为实质上是"私人成本社会化"，即把自身赢利建立在他人受损的基础上，这显然是不公平的，同时也是制约养猪业乃至农村经济可持续发展的重要因素。因此，在缺乏经济刺激和制度规范的情况下，人们往往没有治理养猪业污染的动力，从而产生环境外部性。

由于在生产的过程中不可避免地要产生废弃物，甚至在污染的治理活动中也会产生二次污染，只要排出的废弃物或对生态系统的扰动力超过了系统自净、自控能力，必然会造成环境质量下降，从而形成外部不经济性（李寿德和柯大钢，2000）。因此，养猪业环境外部性是农业发展过程中正常的、无处不在的和不可避免的组成部分，对农村经济可持续发展有重要影响。结合上述养猪业环境外部性形成的原因，养猪业环境外部性特征主要表现为以下几个方面。

1. 环境外部性具有公共性

养猪业环境外部性具有公共性，不但污染的肇事者即养猪户具有公共性，污染的受害者即周围的居民也具有公共性，污染密度或强度不因部分人的消耗而减轻对其他人的影响。以"死猪漂浮事件"为例，对水资源的污染，影响的不是某一个人，而是下游地区的每一个人。一个人对污染水质的使用也不会减轻另一个人受害的程度。这也可以理解成环境外部性具有强制性。环境外部性的这种特性使之成为一般市场价格体系无法克服的难题，从而出现"市场失灵"。这也就强调政府在其中要发挥作用。

2. 环境外部性具有时空转移性

环境外部性的一个重要特征是，环境风险可以在空间和时间上转移。养猪业所产生的粪便和病死猪废弃物，不仅对当地的环境产生影响，也会通过空气和水源的流动，把污染转移到其他地区，造成空间上的转移。另外，当代的环境污染问题也会影响到下一代，使后代承担环境恶化的后果，造成时间上的转移。

3. 环境外部性具有分散性

Dahmen 和 Bohm（1974）等认为外部性源于经济活动的分散性。随着养猪业的迅速发展，养殖户的数量和规模都在不断增加，但大多数仍属于小农经济，经济活动越来越趋于分散性。另外，养猪业排放的废弃物也具有分散性，不同程度地对空气、土壤和水资源造成破坏，最终形成面源污染。在现有技术水平条件下，分散性致使对面源污染物排放的监督和检测成本很高。

4. 环境外部性具有随机性

养猪业环境外部性不仅取决于资源投入多少、养殖规模、养殖技术（生态养殖模式）以及环保意识，还受到一些随机因素的影响，如天气，气温等。以"死猪漂浮事件"为例，据农业部分析，生猪大范围出现死亡，与气候有很大的关系。当地雨雪寒潮天气多，气温变化大，仔猪抵抗力下降，圆环病毒感染和腹泻等常见病引起死亡率较往年偏高。由此可见，这些随机因素打破了污染排放物与环境之间的稳定关系，也促使环境外部性检测结果缺乏稳定性。

2.4.3　环境外部性内部化

养猪业非点源污染具有分散性、隐蔽性、潜伏性、累积性和随机性等特点，因此不易监测、难以监管，防控的难度很大。养猪业环境外部性已严重制约养猪业的可持续发展和居民生活环境，要解决环境外部性问题，就是要使其内部化（朱国伟，2003）。所谓环境外部不经济性内部化，就是使生产者或消费者产生的外部成本，进入其生产和消费决策，由其自身承担或内部消化。通过分析，本书从四个方面提出养猪业环境外部性治理对策。

1. 经济治理对策

经济治理政策工具重在改变经济主体从事某种具有明显的外部性的活动的成本和收益，以引导经济主体出于成本-收益的理性算计而采用有利于社会的行动（孙鳌，2009）。一般而言，治理环境外部性的经济政策工具主要有排污权交易、排污收费和补贴。排污权交易即在排污权市场上，排污者从其自身的利益出发自主决定其污染治理程度，从而买入或卖出排污权，以达到减少排污量的目的（陈喜红和吴金明，2004）。但是养猪业污染的生产者众多且较分散，排污权交易费用势必昂贵。排污收费就是对排放污染物的组织和个人征收一定的费用，以增加其生产成本，刺激其减少污染物的排放。但是，排污收费的实施必须能够测算排污量的多少，而环境外部性的分散性使污染物排放的检测成本很高，随机性又使检测结果缺乏稳定性（王克俭和谭莹，2010）。因此，排污收费和排污权交易都不能有效解决养猪业环境外部性问题。补贴是对产生正外部性的行为的生产者给予一定的补贴，以降低其生产成本，刺激其增加正外部性生产活动的供给（刘冬梅和王育才，2009）。补贴政策对于养猪业比较容易设计和实施，对于养殖户也更容易接受并产生激励作用。如果政策对所有的死猪都给予无害化处理补贴，就可以提高农户进行无害化处理的积极性。

2. 政策法规治理对策

市场失灵为政府干预提供了机会和理由，这也强调了政府在治理环境外部性问题中所应发挥的规制作用。治理养猪业环境外部性的监管对策可从三方面入手：法律法规的建立、粪便排放要求与标准和病死猪的处理。政府可以通过有关法律法规的建立，来减少或消除外部不经济性。对于随意丢弃的病死猪，找出丢弃的源头，依据法律法规对其进行惩罚或管制。粪便排放要求与标准，是以养殖规模和环境承载力为制定依据的。对于规模养殖户，必须强制使用清洁生产技术和猪粪处理设施，将废弃物处理纳入生产过程。实施病死猪无害化处理必须着力解决处理补助和处理技术两个问题。在"死猪漂浮事件"中，处理死猪的农户每头可以获得 80 元补助，但在实际操作过程中，因为死猪数量太大，补贴不到位情况突出，导致农户不愿费时费力去处理病死猪。同时，对病死猪的处理主要采取厌氧发酵方式，需要占用土地，而现有土地资源处于非常稀缺状态，地方政府也监管乏力。只有相关政策能同时调动生产者和政府管理者的积极性，才能有效解决环境内部化问题。

3. 技术治理政策

粗放的传统养猪业其技术原则和组织原则是线性的和非循环的，因而以排放大量废弃物为特征。这种生产无论从自然界索取资源还是向自然界排放废弃物，都对自然生态的正常运转造成严重危害，其技术本质是反生态的，必然产生环境外部性。齐振宏等（2009）研究认为，养猪环境外部性问题产生的技术原因是割裂了养猪业和种植业生态产业链的天然联系，解决的根本举措是构建农牧一体化的养猪业生态产业链。技术治理对策是解决养猪业环境外部性的有效手段。利用绿色技术可以对养猪业粪污和病死猪进行资源化、无害化、减量化处理，减少环境外部性。养猪技术应该向生态型绿色技术转变。高旺盛（2010）认为未来我国循环农业技术在畜牧业方面，应重点研究重要畜禽品种生产的"节饲"技术、畜禽粪便的资源化综合利用技术，以及温室气体排放、重金属和添加剂残留的可控化技术。张成岗（2003）认为新技术观应当具有如下特征：以人与自然的协调发展作为根本目标，科学地利用、开发和保护资源；对技术活动具有规范功能，必须建立严密的技术监控与评价体制，建设技术活动运行发展的健康机制；坚持技术的可持续发展、经济社会的可持续发展与生态的可持续发展相衔接，为人类可持续发展提供绿色技术体系。

4. 生态文化建设治理对策

小农养猪户农业生产中面源污染问题因为具有分散性和隐蔽性、随机性和不确定性、不易监测性和时空转移性等特点，难以有效运用环境"末端治理"技术和市场化手段进行有效治理，出现"市场失灵"。由于环境属于公共产品，"经济人"驱使利益最大化的小农户易于出现"机会主义"行为而常常出现"政府失灵"。国外成功的治理经验表明，养猪业面源污染治理主要采用源头控制对策。源头控制需要养猪户生产者不仅考虑经济利益，而且考虑生态环境。建设生态文明，提高养猪户生态意识、技术和素质，对于从源头上控制环境外部性具有根本性的作用。在新农村建设中，如何建设美丽乡村，养猪户生态意识和道德素质的高低对于环境外部性内部化显得尤为重要。养猪户作为养猪业的生产者，其生态意识直接关系到农村生态环境和养猪业的发展（王志琴，2003）。在"死猪漂浮事件"中，当地有的养殖户的生态意识薄弱，文化素质较低，对于随意丢弃病死猪的行为不以为然，即使有所察觉，也因出于自身利益而忽略环境污染问题。因此，对于养猪业及其农业生产，政府应大力加强生态文化建设，引导绿色生产和消费，通过全方位的生态文化道德建设来提高公众的生态文化意识和素质。

综上所述，我国养猪业正处于转型发展期，养猪业环境污染问题已经严重影响养猪业的可持续发展、公共环境质量和安全、环境优美的新农村建设。农业生态环境的优劣直接关系到农村和农业的兴衰，关系到国民经济的发展（陈玲芳，2006）。应该正视养猪业环境外部性存在的客观性，积极采取政策措施来因势利导，为养猪业及农业的快速发展提供良好的经济、政策、技术和文化建设支撑体系。

2.5 结　论

养猪业是资源消耗型、环境污染型产业，养猪业所形成的面源污染难以采用"末端治理"技术进行根治，需要以新的技术范式、制度范式和理论范式作为指导。而循环经济理论新模式能够有效解决养猪产业发展与自然环境发展之间的矛盾，促进养猪业的可持续发展。养猪业循环经济理论以循环经济理论范式为指导，与可持续发展思想和理念一脉相承，它是农业可持续发展理论和循环农业理论的具体实践。养猪业所形成的面源污染与环境外部性直接相关，具有公共性、时空转移性、分散性和随机性特征，易于出现市场失灵和政府失灵现象，只有发展养猪业循环经济才能从根本上治理和消解养猪业发展的资源与环境问题，这是标本兼治的措施和出路。

第3章
养猪业循环经济生态产业链的
现状分析

"十二五"时期是我国养猪业发展的重大转型变革期，养猪业发展与资源环境之间的矛盾成为重大瓶颈约束，引入循环经济这一新的理论范式，研究以加快养猪业发展方式转变促进其可持续发展，成为我国养猪业发展的阶段性特征和亟待破解的重大课题。我国规模化养猪业所造成的"畜产公害"问题的技术原因是割裂了养猪业和种植业生态产业链的天然联系，制度原因是经济理性与生态理性相悖导致的环境外部性，因而解决的根本举措是发展养猪业循环经济产业链。发展循环经济、建立养猪业生态产业链是治理养猪业污染的根本措施，能够有效实现社会效益、经济效益和环境效益的统一。

3.1 养猪业循环经济的演进轨迹

3.1.1 生态农业经济理论

作为农业生态经济理论的基础，生态经济学在20世纪60年代开始兴起。美国经济学家鲍尔丁在其发表的《一门科学——生态经济学》中首次提出生态经济概念。1980年，联合国环境规划署（UNEP）在《环境状况报告》中，将环境经济即生态经济作为第一项主题。随后，很多国内外学者对生态经济学作出定义。美国经济学家科斯坦塔等认为"可持续性的科学和管理"即为生态经济学，其研究经济部门与生态部门之间相互作用的整个网络（Thornton，2002）。国际生态经济学会主席Martinez-Alier（2001）认为生态经济学是一门"可持续性的研究与评估的科学"，它包含新古典环境经济学和资源经济学，但又因为其包含对人类经济活动造成环境影响的物理评价，因而不仅仅包含这两部分。沈满洪（2009）认为生态经济学是一门研究和解决生态经济问题、探究生态经济系统运行规律的经济科学，旨在实现经济生态化、生态经济化和生态系统与经济系统之间的协调发展。王松霈（2003）指出，生态经济学是指导实践的科学。生态经济学理论是适应当代解决经济社会发展中生态与经济的不协调问题，并推动它们走向协调的理论。它为可持续发展指导思想的建立提供理论基础，目的也在于为经济的可持续发展服务。简言之，生态经济学是研究社会物质资料生产和再生产运动过程中经济系统与生态系统之间的物质循环、能量流动、信息传递、价值转移和增值以及四者内在联系的一般规律及其应用的科学，生态经济就是一种尊重生态原理和经济规律的经济，它要求把人类经济社会发展与其依托的生态环境作为一个统一体，经济社会发展一定要遵循生态学理论（黄方伟，2006）。

农业生态经济理论和其他科学类似，都是在解决实际问题的过程中不断发展形成的。我国资源总量和人均资源均相对短缺，农业长期以来的粗放式生产，造成资源消耗过高过快，资源利用率低，农业发展与资源环境之间的矛盾日趋尖锐，重要资源难以为继，生态环境不堪重负的严重局面。要改善日益严峻的环境破坏问题，解决生态危机，不断增强农业可持续发展能力，人类就必须重视农业经济的发展与生态环境发展相协调。因此农业生态经济学出现于人类社会与自然环境相互关系不断改变的过程中，在不断认识生态环境对社会与经济的影响过程中建立起来的基本规律和思想理论体系（熊先承，2011）。

与传统的经济发展观相比，农业生态经济是人类追求的一种全新的理想化农业经济模式和形态（Cantlon，1999）。农业生态经济学是以农业生态经济系统为研究对象，把生态和经济两个子系统的相互联系作为一个整体来研究。海江波（2009）指出农业生态经济学是依据农业生态学基本原理，对农业自然再生产过程进行研究和分析，构建农业生产技术，着眼农业生态系统平衡，实现农业生产最大化，资源利用合理化；依据农业经济学的基本理论，着眼研究农业经济系统的经济规律，建立经济运行体制，进而把农业生态经济系统统一起来，共同探索农业生态经济发展规律，最终提高农业生态经济系统的综合生产能力，促进农业生态经济系统的农业生态系统和农业经济系统的协调发展，实现农业生态经济持续健康发展。

3.1.2 小农经济下的"猪—沼—果（菜、粮、鱼）"模式

1. 养猪业发展模式的概念演进

"模式"的含义最初是由"范式"的概念所引申而来的。"范式"（原文是 paradigm）起源于希腊文，原意为"共同显示"。1959 年，美国著名科学家

和科学史学家托马斯·库恩（Thomas Kuhn）在《必要的张力》一文中创造性地使用了"范式"一词。之后，他于1961年的《科学发现的历史结构》和1962年的《科学革命的结构》两本书中扩展范式一词的含义，并建立范式论学说，在哲学、社会科学乃至科学界引起强烈反响。所谓的范式，是指在同一特殊领域研究的学者所持有的共同的信念、传统、理论和方法，它代表某个时代中人们对事物的主流看法，在一定程度上具有公认性；同时它有着严格的思想体系和解决科学问题的前提及方法，本质上可以看成一种理论体系，是对理论的认识。范式论引起人们的广泛思考，并由此引申出模式、模型、范例等义。所谓"模式"，其本义是指某种事物的标准形式或标准样式，它更多的是对实践的总结，并在一定时空内具有稳定性。从这个意义上讲，不能将两者直接画等号。

经济发展模式，简单地说，即为一个国家或者地区各具特点的经济增长与发展的方式（应宜逊和周立新，1989）。它着重解决的是社会生产力道路和产业结构的问题，通常要求与之相适应的经济体制模式来保证经济发展目标的实现。赵波（2006）将经济发展模式归纳为三类，即以"自然资源—粗放生产—过度消费—大量废弃"流程的物质单向流动的线性经济模式、以"自然资源—粗放生产—过度消费—大量废弃—末端治理"的末端治理模式和以"自然资源—产品—消费—再生资源"的物质反复循环流动过程的循环经济发展模式。循环经济的发展模式，按照任勇等（2005）的观点，即为在实践中如何运用循环经济理论和原则组织经济活动，或者说如何将传统经济发展模式改造成"低资源投入、高经济产出、低污染物排放"的新模式。任勇还认为循环经济发展模式本质上可以看成循环经济的产业发展模式和区域发展模式。任勇的观点更多的是从理论到实践的思路，然而模式更多的是对众多特殊的实践的总结，并抽象出蕴含其中的普遍原理。具体到养猪业发展模式，冉春艳（2009）认为养猪业循环经济发展模式，可以视为在一定的时期内和一定的条件下，一个国家或地区的人们自觉或不自觉地按照循环经济的理念和原则组织养猪业经济活动，并在这种长期的实践中所形成的具有某种鲜明特征、相对稳定性和区域代表性的经济关系以及经济运行机制原理的理论总结。它并不是对传统养猪业经济发展模式的简单彻底否定，而是以物质和能量的良性循环为核心，把传统养猪业的精华与现代养猪业科学技术有机地结合。

2. 传统"猪—沼—果"产业链与循环经济"猪—沼—果"产业链的区别

小农经济的生产模式在我国已有了几千年的历史，并且在这几千年中一直处于我国农业生产的主导模式。小农经济生产模式的主要特点是以家庭为基本生产单位进行农业生产，在中国封建社会中，小农经济的特点表现为"男耕女织"的家庭分工、自给自足的生产力低下的手工和畜力为主的生产模式。

我国从新中国成立到 70 年代末，养猪主要作为农民的家庭副业来生产，传统养猪生产方式随千家万户而分散，猪的排泄物作为农家肥被用来种田种菜，因此以家庭散养模式为主的养猪模式并没有造成多大的环境污染问题。在传统的小农生产方式中，农户将畜禽粪便收集起来并还田，从而减少了对邻近水资源和大气的污染（Topp et al.，2009）。小农养猪模式的特点是低投入、低产出、低效益，它属于传统的小农生产方式，自结自足的自然经济。在计划经济条件下，农村剩余劳动力富余，使小农经济下的"猪—沼—果"等生态养殖模式得以在一定区域实现小范围的良性循环。小农经济下的"猪—沼—果"模式就是以养猪为龙头，以沼气为纽带，联动生猪和果业等种、养综合发展的生态农业模式，其基本内容是：户建一口沼气池，人均年出栏两头猪，人均种好一亩果。猪粪作沼气原料，沼气用来点灯、煮饭，沼液、沼渣用于喂猪、养鱼、肥果等，从而形成相互促进、良性循环的生态产业链，这有效利用了养猪业的废弃物，变废为宝，有利于把农家肥变为有机肥，有利于土壤有机质的改善和保墒。

然而，小农经济下的"猪—沼—果"模式是以农户家庭为单元的微型循环经济模式。从 20 世纪 80 年代初到 90 年代初，这一阶段是我国养猪业的快速发展时期，养猪生产已开始由传统分散型向现代集约型转变，规模化养猪已成为现代养猪业的发展趋势（熊远著，2007）。此阶段，传统养猪方式仍占很大比重，规模化养猪场在带来经济效益的同时，使传统小农经济存在的土壤遭到了空前的挑战。例如，农村富余劳动力大量转移到城市和工厂，农村基本都是老人、妇女和孩子，劳动力成本大幅度上升，化肥替代农家肥现象日趋严重，使养猪业粪污排放所造成的环境问题逐渐凸显。传统的小农经济下的"猪—沼—果（菜、粮、鱼）"模式已不能适应市场化条件下的养猪业规模化的发展需要。发展养猪业循环经济产业链，是加快转变养猪业发展方式，实现养猪业可持续发展的根本途径。

循环农业是循环经济理论在农业生产领域中的运用，从节约农业资源、保护生态环境、维持生态平衡和提高农业经济效益的角度出发，秉承可持续发展理念的农业发展模式。循环农业的物质流程和产业体现出"横向共生、纵向闭合和系统耦合"的特点，各要素按照物质流动的方向组成一个个产业链条，实现物质、能量多级使用、高效产出，资源、环境能系统开发、高效使用，变污染负效益为经济正效益，实现区域经济可持续发展。物质和能量在这些链条上或产业链间实现"物质循环、能量流动、信息传递、价值增值"。各产业之间通过中间产品和废弃物的相互交换而连接起来，从而形成一个比较完善和闭合的产业网络，从而使其资源得到最佳的配置，废弃物得到有效的利用，对环境的影响降到最低水平。养猪业生态产业链是循环经济理念在养猪产业上的深刻体现，它的提出和推广，适应了现代养猪业朝规模化、专业化和生态化发展的需求，有效促进了养猪业从传统模式向现代模式的转变（表3-1）。

表3-1　传统"猪—沼—果"模式与循环经济产业链模式的区别

区别体现	传统"猪—沼—果"模式	循环经济产业链模式
生产目标	以生存为主，保护环境为辅	保护环境、维持生态平衡和实现农业生产经济相结合
生产特点	低投入、低产出、低污染、低效益	减量化、再利用、资源化
市场地位	低层次的物质循环，微型的循环经济发展模式	农业循环经济发展的高级阶段，高效、低耗的生态产业链循环轨道
链接模式	以家庭为单位，以养猪为龙头，以沼气为纽带的生态发展模式	以市场为导向，以资源为基础，种养相互配套，农林牧副渔向产业化发展的立体生态农业模式
注意问题	技术体系不够完善；服务水平和能力建设不能适应需求；农业的产业化水平不高	实现循环农业的区域均衡发展；进行合理规划和统筹安排；发展循环农业产业化技术；注重培养新型职业农民

　　农业的特殊性在于，它是依赖自然生态环境建立起来的一种人工生态系统。它是自然再生产与经济再生产的有机统一，两者具有水乳交融、密不可分的"先天条件"，决定了农业经济系统更易于和谐地纳入自然生态系统的物质循环过程，建立循环经济发展模式。养猪业循环经济是以可持续发展和循环经济理论为指导，以饲料、能源等的高效利用和养猪业中的粪便废水等综合循环利用为特征，通过合理规划，在生猪生产中发展清洁生产，有机结合养猪业、种植业以及其他养殖业，并在整个生产乃至消费过程中贯穿节约资源和保护环境的理念，使经济效益、生态效益和社会效益和谐统一，从而实现养猪业和环境的可持续发展（冉春艳等，2008）。

3.2　传统工业化农业的养猪业困境与选择

3.2.1　我国正处于由传统养猪业向现代养猪业转变的关键期

　　纵观世界的养猪业，就是一个从追求产量变化到追求质量变化的过程。而我国养猪业的发展自新中国成立以来，也遵循这一逻辑轨迹，在经营管理方式上，近年来出现了两个重要的变化：一是养猪场数量在持续减少，而养猪规模在不断扩大；二是在结构上由横向联合走向纵向联合的一体化道路（陈焕生和聂凤英，2005）。

养殖规模是现代养猪业和传统养猪业的本质差异，也是养猪业现代化的主要标志。2002～2010年，年出栏50头以上的养猪场（户）占全国养猪场（户）的比例由1%上升到4.35%，出栏头数的比例从27.3%上升到64.5%。其中，年出栏500～2999头的中型猪场发展最快，其比例从2002年的0.036%，发展到2010年的0.322%，虽然只增加约0.3个百分点，但出栏头数的比例从2002年的4.853%，增加到2010年为19.139%，约增加14.3个百分点。年出栏3000头以上的猪场占全国养猪总户数的比例，从2002年的0.004%，上升到2010年的0.035%；出栏头数的比例，从2002年的5.240%，增加到2010年的15.404%。这主要有两方面原因：一是2007年国家出台了向规模化养猪倾斜的各项政策和财政补贴措施（王志刚，2012）；二是随着农民生活水平的不断提高，散养户多外出打工或经营其他产业，退出养猪业，而规模养猪户则继续扩大规模。由图3-1可知，2001～2010年，1万～5万头规模养猪场出栏数增加了4.7倍，说明规模户的数量在逐渐增加，未来十年这一趋势会更加明显。

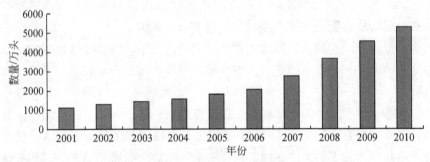

图3-1　2001～2010年1万～5万头规模养猪场出栏数量

3.2.2　我国养猪业发展中存在的问题与原因分析

21世纪以来，随着市场竞争的日趋激烈，人口膨胀与资源消耗量的逐年增加，资源短缺与环境污染问题逐渐成为中国乃至全世界经济发展所面临的共同难题。养猪业作为国民经济的一部分，资源是其赖以生存和发展的基础，它与环境同样存在着一系列问题，如养猪生产过程中的人畜争地问题、生态破坏问题、空气污染问题、水体污染问题等，而这些环境问题又将反过来制约其本身的发展，从而间接地影响人类的健康和经济社会的发展。协调养猪业与资源环境的关系，不仅关系着我国养猪业的可持续发展，更重要的将关系到我国农村环境和农业经济的健康发展。故以下主要探讨养猪业发展中存在的问题以及原因分析，具体表现在以下几个方面。

1. 资源约束问题

随着生活水平的提高，人们对畜产品的需求增多，这就促使了畜牧业的发展壮大。2000～2011年，我国养猪业的猪出栏数量由5.186亿头上升到6.617亿头，增长了27.59%；养猪业的规模化发展，加之人口的持续增长，引发了一系列的资源问题，本节主要从饲料、土地、水、能源和猪种五个方面的资源来分析。

（1）饲料资源压力增大

据测算，2020年和2030年我国饲料用粮将分别占粮食总量的43%和50%，同时随着耕地面积的逐渐减少，人民口粮与饲料用粮之间的矛盾日趋严重。许多专家（吕新业等，2006；韩俊和罗丹，2005）指出，随着人们对畜产品需求的不断增加，生产畜产品的饲料粮问题将成为中国粮食安全的主要问题。虽然近年来播种面积和产量都有所增加，但仍满足不了饲料生产需求，2001～2004年，我国已经连续4年动用国家储备粮作为饲料粮，饲料粮的大量消费对我国粮食安全构成严重威胁（张仲秋，2004）。

为了分析我国养猪业发展与粮食生产消费的关系，表3-2列出了我国五年计划期末的人口、粮食总产量、人均口粮消费和猪肉的产量情况。从表3-2中可以看出，"六五"之后，我国的人均口粮逐渐减少，1985年人均口粮为253.0千克/人，到2010年只有132.0千克/人，下降了47.8%。同期，我国人口数量逐渐上升，2010年与1985年相比，人口增加了约2.8亿人，而我国粮食总产却只增加了约1.7亿吨。这样一个差距甚大的增长幅度，必然会使我国人均口粮下降，在满足人民生活需求之后，用作生猪饲料的粮食将进一步减少，导致饲料资源压力进一步增大。

表3-2 我国五年计划期末人口、粮食总产、人均口粮和猪肉总产情况

时　期	人口/万人	粮食总产/万吨	人均口粮/（千克/人）	猪肉总产/万吨
"五五"计划期末（1980年）	98 705.0	32 056.0	212.0	1 134.1
"六五"计划期末（1985年）	105 851.0	37 911.0	253.0	1 654.7

养猪业循环经济与实践生态产业链理论

时　　期	人口/万人	粮食总产/万吨	人均口粮 /(千克/人)	猪肉总产/万吨
"七五"计划期末（1990 年）	114 333.0	44 624.0	227.0	2 281.1
"八五"计划期末（1995 年）	121 121.0	46 662.0	213.0	3 648.4
"九五"计划期末（2000 年）	126 743.0	46 218.0	189.0	3 966.0
"十五"计划期末（2005 年）	130 756.0	48 402.0	152.0	4 555.3
"十一五"计划期末（2010 年）	134 091.0	54 648.0	132.0	5 071.2

资料来源：《中国统计年鉴》和《中国畜牧业年鉴》

（2）土地资源紧张

养猪场数量逐年增加，养猪场的规模也越来越大。有专家指出，预计到2020 年，畜禽养殖规模将是 2001 年的 1.67 倍。相应的，畜禽粪便产生量将大幅增加，据估计，20 世纪 80 年代，中国畜禽粪便产生量仅为 6.9 亿吨，到 2008 年已达到 30 亿吨（孙铁珩和宋雪英，2008），这就需要更多的农田资源来吸纳排污。而随着建筑和其他用途的用地增加以及水土流失、水土荒漠化和沙漠化趋势的加剧，土地资源将日趋紧张。

（3）水资源紧张

养猪业是耗水的生产行业，每年猪饮水以及猪舍的清洁要消耗大量的水。尤琦（2003）撰文指出，一个万头相对集约化的养猪基地，每天用水量可达 $400 \sim 600 m^3$，排出的水还有大量高浓度的有机质，其中化学需氧量（COD）浓度每升可达 $1200 \sim 1500 mg$，国家环保部门规定，地表水质的 COD 每升不能超过 5mg。同时，许多地区的水资源浪费现象也比较严重，在人均水资源匮乏的背景下，养猪业规模化的加剧将给水资源增压。

（4）能源耗费增加

随着养猪业规模的不断扩大，猪场的基础设施建设也越来越趋于标准化和现代化。养猪业生产中的照明、母猪和仔猪的散热除湿或保温保暖等热能利用，生产中储存饲料等非热能利用，也将会随着养猪业规模化程度的提高而增加，这在全球能源日趋紧张的大环境中势必增加能源耗费的压力。

（5）猪种资源流失

我国猪种资源非常丰富，但是由于人们片面地追求短期经济利益，盲目引入国外优良品种进行杂交，造成猪种资源数量不断减少，猪种的淘汰替换率越来越高，猪肉品质逐渐降低，进一步可能威胁和破坏种猪的遗传多样性。

2. 环境污染问题

随着养猪业集约化、规模化的生产，养猪业的排污量逐年递增，若管理不善，随意排放将引发严重的环境污染问题。猪场污染是当今畜牧业造成环境污染的最突出问题，规模化猪场污染集中在猪生产中产生的废弃物引起的污染，养猪场废弃物类型多样，包括固态、液态和气态的废弃物，养猪场中高浓度、未经处理的废弃物以及恶臭气体等对土壤、水资源、大气、猪群、人类健康以及整个生态环境造成直接或间接的影响。

（1）温室气体排放

温室气体是指破坏大气层与地面间红外线辐射正常关系，吸收地球释放出来的红外线辐射，阻止地球热量的散失，使地球发生可感觉到的气温升高的气体。目前，我国猪粪便的普遍问题在于"量大""集中"。据统计，一头猪的年产粪量为 25 吨，即一个规模化的万头猪场年产粪量为 25 000 吨。表 3-3 所示是我国 2002～2011 年生猪出栏数量及粪便排泄总量。可以看出，2002 年粪便排泄量为 5.41 亿吨，到 2011 年排泄量为 6.31 亿吨，比 2002 年增长 16.6%，可见，猪粪便排泄总量巨大。

表 3-3　生猪出栏数量及粪便排泄总量

项目	年份				
	2002	2003	2004	2005	2006
出栏数量/万头	56 684.00	57 200.60	61 800.80	65 898.70	68 050.30
粪便排泄量/万吨	54 076.54	54 569.37	58 957.96	62 867.36	64 919.99

项目	年份				
	2007	2008	2009	2010	2011
出栏数量/万头	56 508.40	61 016.60	64 527.10	66 686.40	66 170.30
粪便排泄量/万吨	53 909.01	58 209.84	61 558.85	63 618.83	63 126.47

资料来源：生猪出栏数量数据来源于中国农业统计资料，粪便排泄量为作者计算所得

猪排出的粪便如果没有及时被处理就会发生水解反应、硝化反应、反硝化反应、分解反应等一系列反应，CO_2 等温室气体就会从这些反应中被释放出来。在这些温室气体中，CO_2 虽然只占大气总量的 0.03%，但产生的温室效应占 55%，而且可在空气中存留长达 200 年之久。因此，CO_2 是产生温室效应的重要因素。除此之外，粪便中挥发出来的氨气（NH_3）、硫化氢（H_2S）等有害气体会提高猪呼吸道疾病的发病率，引发动物福利、猪肉品质等一系列问题（王卉和高凤仙，2013）。

（2）水源污染

生猪粪尿排泄物中含有大量的氮、磷，一旦这些物质过剩就会污染地下水和地表水。氮、磷是导致水体富营养化的重要物质，富营养化水体中含有的硝

酸盐浓度较高，人畜若长期饮用此水会引起中毒，同时富营养化水体中藻类疯狂生长，消耗水中大量氧气，使得水体污秽。生猪粪尿排泄物中的颗粒物会使得水体浑浊，阻碍藻类的光合作用，限制水体生物的正常活动，导致水底部缺氧，使水的同化能力降低。生猪粪尿排泄物中含有很多微生物，这些微生物中很大部分是病菌、病毒，排入水体会导致流行病的传播。

（3）有害物质残留

在饲料中添加超标重金属元素、大量使用兽药不仅会对畜体产生危害，残留在畜体内的有害物质也会对人类产生危害。此外，残留在动物排泄物中的重金属和兽药成分会对土地、水质、空气等造成污染。据报道，中国每年使用重金属元素添加剂为 $1.5 \times 10^5 \sim 1.8 \times 10^5$ 吨，但由于生物利用率低，大约有 1.0×10^5 吨未被利用而随粪尿排出。除此之外，兽药滥用也会对畜牧业的发展和生态环境造成危害。抗生素类、磺胺类、硝基呋喃类、抗寄生虫类和激素类等药物大量使用容易产生残留（谷虹，2008）。兽药的长期大量使用，不仅会造成畜体免疫力下降、影响疫苗接种效果，而且会造成畜产品兽药残留超标，这也成为阻碍我国畜产品出口的一个重要因素。

3. 问题产生的原因分析

养猪业污染已成为我国农业污染的主要来源，并且随着养猪业的规模化发展，所带来的生态环境问题更加明显。因此，找准污染原因，采取相应措施减少或杜绝环境污染，恢复养猪业的生态损失，是摆在人们面前的一项长期而艰巨的任务。通过总结我国养猪业面临的资源约束和环境污染问题，可以得出其产生的宏观原因和微观原因。

（1）宏观原因

从哲学角度看，环境问题是传统的"人类中心主义""物质主义享乐观"等片面发展观作祟的产物。人类以自己的利益为中心，任意地征服自然、改造自然、破坏自然，以此来满足人类自身的无限欲望与无节制的需求。秉着这样的世界观和发展观，人类建立起以"高开采、低利用、高排放、高污染"为特征的传统线性增长的经济发展模式，毫无节制地滥用自然资源和随意破坏环境，形成了人与自然的尖锐对立和矛盾冲突。高科技带动经济发展的同时，忽略了自然规律的作用；重视经济效益的同时，忽略了生态效益和社会效益。虽然现在全世界都积极地向"人与自然和谐主义"的可持续发展观转变，但这个历程常常是漫长而曲折的，需要长时间的不懈努力，这是造成包括养猪业在内的环境问题的思想束缚。

从经济学的角度看，现在的学者们较一致地把环境问题归结为外部性，即是市场失灵、政府失灵两方面原因造成的。市场失灵大致可以归结为以下原因。

首先，在现实的经济社会生活中，人类的认识能力是有限的，不可能获得新古典经济学假设的完全信息。2008年9月以来，中国爆发了"三鹿奶粉"事件。有媒体报道，某些饲料厂在饲料中添加三聚氰胺这种化工原料，是因为其可以冒充高蛋白饲料降低成本，并且目前普通的氮测定法测饲料和食品中的蛋白质数值时，根本不能区分出这种伪蛋白氮。那些不法分子就是利用了人的有限理性，从而受机会主义驱动顶风作案，危害社会。

其次，环境既可作为资源的供应者、废弃物的接纳者，又可以作为一种消费品。这种既矛盾又统一的特殊功能混合在一起，使得环境资源既难以明晰产权、合理定价，不具有排他性，又不能纯粹地定义为公共品，因为它具有竞争性，即一个人对它的使用会影响到他人的使用。环境的这种公共性容易造成资源的过度使用甚至减毁至稀缺的程度。而人们在生产和消费资源环境时，往往又会通过环境这个介质，给不直接参与这种生产和消费的企业或个人带来有害的或者有益的影响，即产生环境的外部性。若把本应由自己支付的成本转嫁到其他居民或后代子孙身上，这是环境的负外部性。当个体提供环境保护这种正外部性很强的公共品时，他人也可以从中获利，而个体得不到相应的补偿，这样就容易产生"搭便车"现象，即个体总是不愿主动为公共品付费，希望由他人提供并供自己免费享用。无论是负外部性还是正外部性，均不能使资源的配置自动实现最佳状态，从而导致市场这只"看不见的手"失灵。

最后，复杂的经济社会活动使得环境信息是稀缺的。交易中的一方对于另一方的行为所拥有的信息不充分时，便有可能造成市场失灵。同时，由于环境的公共性和外部性以及其不明确的产权界定，交易时往往产生非常昂贵的交易成本，导致市场失灵。譬如，一些生活在污染严重的养猪场附近的居民，想通过打官司这种手段重获洁净环境的交易成本很高时，他们往往选择默默忍受。

在市场失灵的情况下，往往需要政府"看得见的手"干预调节。政府往往通过法律政策、税收金融、制度改革等手段来纠正市场失灵。然而，政府在认知水平、信息掌握程度和组织管理能力等方面也存在着一定程度的缺陷。譬如，政府各部门间的协调问题，或者是以追逐私利为目的但客观上却有益于社会福利增加、扭曲了经济资源配置的"寻租"活动，这些政治经济弊端往往造成政府失灵。

（2）微观原因

养猪业投资金额大，生产周期长，易受到天然灾害、养殖疾病及开放进口的影响，属于弱势行业和微利行业，其产业特征在很大程度上决定了养猪业的生产行为。因此，养猪业引发的污染越来越严重，微观原因主要有以下五个方面。

第一，养猪业经营方式由农户散养式向规模化、集约化的养殖小区转变。改革开放以来，我国养猪业迅猛发展，为农业和国民经济的发展作出了重要贡献。然而，养猪业规模化进程中由于大量粪便不能被农田及时消纳，对大气、土壤和水质造成严重破坏，更是成为阻碍规模化步伐的一道不可逾越的屏障（王俊能等，2012）。据研究，在规模化养殖中，猪场规模在年产 500～10 000 头的较普遍，而且规模化养猪场多建在农村或者城乡结合部，限于建场初期的资金、用地等，绝大多数养猪场未设置污水处理配套设施，污水和粪尿排泄物不加处理直接堆放或排放，环境大气质量严重恶化（岳丹萍，2008）。如果不加以有效控制，畜禽养殖业导致的面源污染将日益凸显，生态破坏和环境污染问题将成为制约农村和农业经济可持续发展的最为重要的因素。

第二，养殖业与种植业的分离促使养猪业污染的加剧。一直以来，我国畜牧业的发展依赖于种植业，种植业为养殖业提供饲料、土地和饲草等，而养殖业产生的废弃物又被种植业有效消化吸收，养殖业和种植业的结合是实现资源和废弃物循环利用的有效途径。但是，猪肉较强的时效性和严格的保鲜性导致养猪企业选址大多在城郊，而规模化养猪所造成的猪粪尿过度集中，周围无足够的农田消纳粪便，导致粪便随意排放，污染具有随机性和不确定性（苏杨，2005）。另外从经济角度考虑，城郊养殖很大程度上也可节约企业的运输和储藏成本。因此，养殖业与种植业的分离，养殖者不种地，废弃物没有土地及时消纳，畜禽废弃物这一宝贵的农业资源不能得到及时利用，使畜禽粪便的污染加大了对城市、城镇的环境压力，农业面源污染更加严重（倪丹成和黄文芳，2009）。

第三，养猪户生态意识淡薄。近年来，养猪业朝着规模化和集约化的方向发展，涌现出大批的规模养猪户。然而，大部分养猪户的受教育程度较低，生态环保意识薄弱，治污能力也较低，使农村生猪养殖污染越来越严重，制约了养猪业和农村经济的可持续发展。另外，发展清洁生产，节约资源，减少污染，保护环境，既需要经济利益和生态利益并重的可持续发展观念，更需要科学的营养调控技术、疫病防治技术、防污治污技术和较高的管理水平，同时还需要充足的资金作保障，这对于单个的生产者是难以实现的。

第四，养猪污染治理成本高而排污成本低导致养猪农户不愿治污。在规模化养殖生产中，养猪场通常花费大量的资金（几百万元或上千万元）建立雨污分离、猪粪干湿分离以及几级沉淀的沼气池等治污治理设施，而直接排污成本却相对较低。以约束养猪业水污染的排污许可证制度为例，针对非法排污的处罚措施主要是警告和罚款，而且处罚规定不明确，罚款数量比较小，责罚不相当，导致相当多的养猪场放弃治污，忽视污染对企业发展的负面影响和对环境的极大破坏，随意排放未经妥善处置的污水、粪便，甚至宁愿以罚款来换取非法排污从而规避高昂的污染治理费用。

第五，政府监管不力和环境管理问题上的法律缺失。首先，考核指标体系"重经济轻环保"导致政府易受经济利益的驱使，对养猪企业污染监管不力。一方面，由于生猪自然生长周期较长，在信息不对称、生猪供需不平衡等综合因素影响下，生猪价格经常会出现大幅波动。"形成猪周期。在生猪价格历次波动中，散养户缺乏准确的市场信息和预测能力，只能随生猪价格的涨跌，或盲目扩张生产，或恐慌性退出生产。"因此，规模化养猪企业通常会在抵御猪周期、平抑物价等方面被寄予厚望。另一方面，一旦企业的环境规制造成上缴的税收大幅减少，作为理性的"经济人"地方政府就可能放松对污染企业的监控，甚至产生政府与企业"合谋"的可能性，即为了经济的增长而对企业污染环境的行为采取听之任之甚至保护的态度。

在生猪污染管理政策方面，我国建立的法律还不够完善，存在经济激励性政策较少，可操作性规定比较少，污染排放标准不明确，惩罚力度不大等问题，所以到目前为止，对于畜牧业污染还未能进行有效的规范和防治。

3.2.3 养猪业对环境污染损害分析

我国生猪养殖的快速发展始于 20 世纪 80 年代中期，生产规模逐渐由分散型、小规模向集约化、大规模、工厂化转变（潘丽燕和陈伟琪，2007）。而这种转变带来规模效益的同时，也给环境带来了压力。污染物的集中化使得猪场周围的环境恶化。另外，长期以来，我国的一些规模型养猪场污染治理意识薄弱、治理手段落后、治理设备简陋，在猪的排泄物以及猪场废弃物的清理、收集、储存、无害化处理以及资源化利用等方面，没有配套措施。在养殖过程中，很多养猪户过量使用高铜、高砷等元素添加剂，造成猪的粪便中重金属含量超标，对土壤生态和种植产品产生污染威胁。总之，养猪模式集约化、规模化的快速发展以及猪场排泄物、废弃物的落后处理方式加剧了规模型养猪业对环境的污染。而当前市场经济又要求发展规模型猪场以形成规模效益，但同时资源环境又对其加以约束，这种矛盾只能通过建立养猪业循环经济生态产业链来解决。

目前，国内外对养猪业环境污染问题的研究大多侧重于生态学的理论性概述，缺少从经济学的角度进行理论分析和研究。基于此，笔者试图引进损害函数（damage function）和环境库兹涅茨曲线（environmental Kuznets curve）对养猪场造成的污染程度，以及对治理这种污染、改善环境质量后带来的效益进行研究和分析。通过这种对比研究以说明建立养猪业生态产业链的必要性及可行性（王培成等，2008）。

1. 边际损害函数模型

一般来说，污染越严重，所产生的损害也越大。目前，在环境经济学的研究中，常用损害函数来直接客观地描述这种污染对环境所带来的损害。损害函数反映的是一种污染物的数量与其导致的损害间的关系，有两种不同的类型：一是排放损害函数（emission damage functions），反映的是一个或多个污染源排放的污染物数量与产生损害间的关系；二是周边损害函数（ambient damage function），反映的是周边环境中，特定污染物的浓度与产生的损害之间的关系。对于养猪业造成的环境污染，具体的污染程度很难用准确的价值形态来衡量，因此采用损害函数中的边际损害函数（marginal damage function）对养猪场环境的污染程度以及这种程度的发展加以定性的描述。所谓边际损害函数是指排放量或污染浓度增加或减少一单位引起的损害变化量。

环境科学家和环境经济学家的研究表明，目前社会上大多污染物的边际损害和排放量之间的关系均符合图 3-2 中的规律。当排放量很少时，边际损失值很小；当排放量达到一定程度时，MD（边际损害函数）曲线陡然上升，即呈现加速损害的现象。

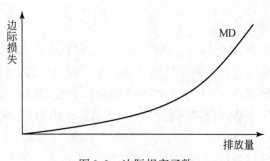

图 3-2　边际损害函数

2. 养猪业污染对环境的边际损害

当前我国养猪生产中用于猪舍环境调控的能耗占了很大比重，人们往往忽视厂址选择、规划布局、绿化、采用合理生产工艺、改善饲养管理等对改善舍内环境的重要作用，忽视自然环境系统内部的自然消化作用，从而造成一系列的环境问题。

（1）污染大气

饲养一头猪一年平均产生粪便 1.1 吨、尿液 1.1 吨，特别是猪群高密度集中饲养，造成排污压力巨大。据测算 1 万头规模的猪场年排粪量为 3800 吨，年排尿量为 1 万吨，猪场粪便冲洗后形成污水 5 万～12 万吨。这样，猪粪中的很多元素，如磷和氮就排到了河道中，使水资源受到污染，并破坏微生态环境、降低了空气的质量（陶新等，2007）。如果得不到及时处理，这些粪便会腐化成致病微生物以及各种臭气，不仅会对周围环境带来不良影响，还会对人和动物造成危害。据有关部门监测，1 家年出栏生猪 10.8 万头的规模型猪场，每小时向大气排放的污染物质为 25.9 千克粉尘、159 千克 H_2S 和 15 亿个菌体，而且这些污染物质的扩散范围非常广，其半径可达 4.5～5.0 千米（汪开英等，2002）。

（2）污染水质

规模型猪场的饲料大多来自人工配置，然而这些人工配置的饲料相当大的比例为配置不科学的饲料，猪对这些饲料中的营养元素吸收率很低。猪将约 53.1% 的食入氮和 79.8% 的食入磷排出体外（张华和王晶日，2005）。这些氮和磷转化为硝酸盐和磷酸盐，通过地表径流污染地表水，并由土壤渗漏污染地下水。如果过量的氮元素排到水中无法得到及时消解，就会导致水中的藻类疯长，威胁贝类、鱼类的生存，造成水体的富营养化，危害水产业，并影响沿岸的生态环境（伞磊等，2006）；而且一旦地下水也被污染，治理极难，造成的损失也会更大。

（3）污染土壤

猪的粪尿中含有大量的氮、磷化合物，这些化合物如果不经过无害化处理，其中一部分可以在自然界中得到分解，然而剩余的部分，就会导致污染物的不完全降解和厌氧腐解，产生一些有害物质，如亚硝酸盐类物质，最终又反过来污染土壤，使土壤难以种植农作物等（刘红，2000），从而引发一系列环境问题。

此外，在对养猪场的管理过程中，不规范或过量的配置或使用一些免疫药、消毒药、抗生素等药物所造成的潜在的药物污染，对猪和人体健康都会产生不良影响。通过以上分析可以看出养猪业的污染问题主要来自规模化、集约化的养猪场所排放的无法及时消解的粪尿。把所有集约化猪场作为一个大的排放源，整个外部环境是它的排放物的"接受者"，环境的损害越大，则说明污染越严重。

从图 3-2 的曲线图可以看出，边际损害起初上升得非常缓慢，但随着排放量的增多，边际损害开始迅速上升。这表明在我国养猪业的猪场环境都有一个环境污染承载力，即具有一个阈值，当猪场的污染物排放量低于这个值时，边际损害为非常小或为零；当超过这个阈值时，污染物对环境必然造成极大的损害，而且损害程度是递增的。因此对于养猪业来讲，这种污染对环境带来的损害是不可忽视的，必须在考虑扩大猪场养殖规模带来的收益的同时考虑这种规模扩大带来的环境损害，即环境成本。为了更好地解释这个阈值和环境成本，可以借助环境库兹涅茨曲线（environmental Kuznets curve，EKC）来分析养猪业发展的资源环境效应。EKC 假说用于阐述环境压力和经济增长关系：在经济发展早期环境质量逐渐恶化，经济发展到一定水平后，环境质量会逐渐改善，即环境压力和经济增长之间呈倒 U 形关系，因此可以借鉴潘家华的方法，在 EKC 曲线中引入环境不可逆的阈值水平（潘家华，1997）。

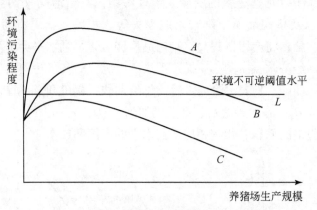

图 3-3　环境库兹列茨曲线

在图 3-3 中，A 为不考虑环境破坏的环境库兹涅茨曲线，表明环境污染程度可能超出环境不可逆阈值；B 为部分考虑环境成本的环境库兹涅茨曲线，表明通过制定环境标准、环境补贴等政策手段，使曲线变得平缓，环境恶化的峰值降低；C 为大部分消除环境成本的环境库兹涅茨曲线，表明曲线峰值进一步降低，尽管猪场生产规模不断扩大，但由于考虑了环境成本，环境的破坏水平降低，有效防止了养猪场规模扩大对环境的不可逆破坏；L 为环境不可逆阈值水平。

对于养猪业来讲，最好的生产方式肯定是按照 C 模式来生产，因为这是一种在 L（环境不可逆阈值水平）下的生产，尽管对环境也会造成一定的损害，但都可以通过环境进行自我修复、自净功能或其他方式来补偿，具有可持续性。现在欧洲一些国家比较盛行用农牧一体化方法来发展养猪业，对养殖的规模都有严格限制，养殖的规模要考虑土地的承载量和自然净化能力，以防止污染或者增加环境成本。从图 3-3 中可以看出，实际上养殖规模并非越大越好，如果养殖规模超出了环境的自我修复能力和自净能力，就会带来环境的破坏。所以，在养殖规模和生态承载力之间找到一个恰当的平衡点，适度规模养殖即养殖规模要与环境承载力相匹配是选择的一个方向。

3.2.4 养猪业环境改善的路径选择

养猪业对环境造成了极大的污染，而这种污染反过来又会抑制养猪业的可持续发展，即"受害者"不仅只有猪场周围的环境，还包括猪场本身。研究表明，在猪场产猪量保持不变的情况下，污染程度的增加将耗费养猪场更多的成本，原因在于要花费更多的资金来治理污染，给猪治病（污染必将引起更多的疾病）以及猪肉品质下降带来的损失等。相反，如果将污染程度降低，那么猪场的产猪量将会得以提高，猪肉品质和生猪福利水平会提高，并由此将会产生一定的经济收益。图 3-4 描述了这一情况，S_1 表示污染治理之前养猪场产猪量的供给曲线，S_2 表示治理之后的供给曲线；猪的价格为 P_1，改善之前，猪场的产量为 Q_1，在改善之后，产量增加到了 Q_2；a，b，c，d，e 分别为曲线和坐标轴所包络的面积，代表相应产量水平的产值和成本。

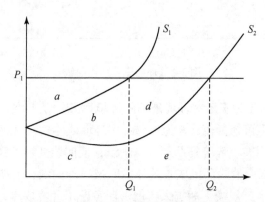

图 3-4　猪场环境质量改善带来的收益

计算养猪场因环境质量改善所产生的收益。产量提高所产生价值增值的同时，由于治理污染改善环境，其生产成本也会发生相应的变化。通过比较养猪场的净收入（总产出的价值减去总生产成本）可以全面分析由于治理污染改善环境所产生的收益。具体计算如表 3-4 所示。

表 3-4　环境质量改善前后的净收入计算

项目	环境质量改善以前的情形	环境质量改善以后的情形
总产值	$a+b+c$	$a+b+c+d+e$
总成本	$b+c$	$c+e$
净收入	a	$a+b+d$

因此，净收入的改善额度为（$a+b+d$）$-a$，即图中的 $b+d$ 区域，也就是对环境质量的改善净收入增加了 $b+d$。

当然这种净收入是把猪场的排放物完全抛弃后计算出的，如果把这种排放物作为"资源"应用于其他产业，如当做肥料施肥，也可以加工后作为鱼的饲料等，那么这种"资源"还会带来额外的收益。这就要求用循环经济的理念来发展集约化的规模养猪场以及处理猪场污染物，以实现资源循环利用和可持续发展。

循环经济理念在畜禽养殖业的延伸和运用，是在既定的农业资源存量、环境容量以及生态阈值综合约束下，从节约农业资源、保护生态环境和提高经济效益的角度出发，建立的立体养殖模式。在这方面，我国已经出现了以畜肥为核心的"畜牧业—种植业—渔业"互动生态产业链养猪模式，既降低了污染，又充分利用了粪肥，实现了资源效用最大化和保护环境的双重效益。

3.3　"两型农业"下养猪业循环经济的必然选择

3.3.1　"两型农业"对养猪业转型发展的 PEST 分析

"两型"即指资源节约型和环境友好型。两型农业就是围绕转变农业发展方式，以提高资源利用效率和生态环境保护为核心，以节地、节水、节肥、节药、节种、节能、资源综合循环利用和农业生态环境建设保护为重点，推广应用节约型的耕作、播种、施肥、施药、灌溉与旱作农业、集约生态养殖、秸秆综合利用等节约型技术，推广应用减少农业面源污染、减少农业废弃物生成，注重水土保持和保护环境等环保型技术，大力培养农民和农业企业的资源节约和环境保护观念，大力发展循环农业、生态农业、集约农业等有利于节约资源和保护环境的农业形态，促进农业实现可持续发展。因此，两型农业是根据现代农业发展的特点和我国的实际情况提出的一个具有中国特色农业现代化特征的概念。两型农业的实施，可以有效解决养猪业的资源约束和环境污染问题。

关于养猪业循环经济发展模式的建设条件，本书将采用 PEST 分析法，分别从政治或法律因素（politics）、经济因素（economy）、社会文化因素（society）和技术因素（technology）这四个方面来分析。

1. 政治或法律因素

我国正处于转型发展时期，政府在经济发展中扮演了重要角色。养猪业发展过程中极易产生环境负外部性问题，当存在负外部效应时，市场机制就会失灵，这通常需要政府介入以纠正市场失灵。养猪业循环经济的发展，必然要求政府建立和实施相应的政策支持体系和法律法规支持系统。不仅要在养猪业循环经济发展中给予政策鼓励，如《循环经济促进法》、国家出台的六项生猪养殖业补助资金等，更要对环境污染行为给予惩罚和治理，如颁布的《畜禽规模养殖污染防治条例》等法律法规。政府是公共环境利益的代表者和监督者，也是环境保护的倡导者和管理者，制度政策和管理价值的创新和规范，有利于政府在实施各项具体决策、目标中更好地体现循环经济的理念，把循环经济理念纳入养猪业生产的全过程中。

2. 经济因素

根据一般的政府治理理论，一个完备的制度创新和政策支撑系统需要政府、企业和社会三方的共同参与，三大主体建立起合作关系，形成政府、企业、社会三种机制在治理主体上的有机整合（诸大建，2007）。在养猪业循环经济发展的创新机制中，应针对企业、政府、科研院校及各类机构建立有效的激励约束机制，充分发挥各个主体的作用。

首先，要采取经济政策，如价格、税收和财政政策等，激励循环经济的发展。着力制定有利于循环经济发展的经济政策，如在投资政策和项目选择上、对投资方向的鼓励和限制上，朝环保型、健康型养猪模式的方向倾斜，引导公众消费绿色生猪产品，以需求拉动循环经济的发展。各级政府应通过采购计划拉动循环经济的需求，并影响社会公众。例如，优先采购经过生态设计或通过环境标志认证的猪肉产品，优先采购经过清洁生产审计或通过 ISO14001 认证企业的产品。认真制定和落实生态补偿政策，努力做到"谁使用谁补偿，谁破坏谁恢复"，有奖有罚，形成良性激励机制。

其次，在发展循环经济过程中，需着力创新养猪业经济的相关评价考核体系。目前一些地区启动了绿色 GDP 核算试点工作，将万元生产总值能耗、水耗、"三废"排放量和单位面积土地产值等指标纳入地区政府目标考核体系。通过对环境污染和生态破坏的准确计量，人们就能清楚地了解为了取得这些经济发展成就所需付出的生态代价有多大，从而能及时地帮助人们更冷静地对待经济发展的成果，有利于实现资源的可持续利用和经济的可持续发展。同时，政绩的考核指标应有所变化，既要看到经济指标，也要注重社会指标、人文指标和环境指标。若此机制发展成熟，若干环境保护绩效考核也将作为各级领导干部的绩效考核依据之一，这将会促进循环经济管理的科学性和高效性。

最后，发展循环经济，要大力发展生猪市场机制的巨大作用。亚当·斯密曾形象地把市场比作"看不见的手"，发展养猪业循环经济，要积极遵循市场经济规律，要培育和强化价格机制作用，加大对水、电、矿产以及其他资源的定价研究，建立健全其价格形成机制，运用价格这个杠杆来促进资源节约、提高资源利用率。同时应引入市场竞争机制，创建环境资源市场，促进循环型企业的良性竞争，发展和扶持采用循环经济模式的新兴产业。

3. 社会文化因素

发展养猪业循环经济是一个系统工程，不仅靠政策这只"有形手"的推动，还要靠生产者、消费者市场需求这只"无形手"的拉动，需要全社会发展观念的根本变革。如何更新发展观，树立科学的生产消费理念，培育适合循环经济发展的市场是一个不可忽视的问题。发展观是关于发展的本质、目的、内涵和要求的总体看法和根本观点，有什么样的发展观，就会产生什么样的发展战略和发展策略，这对循环经济的实践产生根本性的影响。只有整个社会在思想认识上得到根本转变，建立起有利于推动循环经济的社会价值、文化、道德和伦理等社会环境，形成广泛共识的自觉行为，循环经济的发展才能落到实处。必须坚持以科学的发展观为指导，通过培训、教育、宣传或工作实践，培养或增强发展循环经济所需的观念、知识和技能。加大对各级领导及企事业管理者的教育力度，从而提高管理决策效率和工作绩效；深入企业开展教育宣传活动，帮助员工树立正确的生产观，强化生产者的责任意识；扩大宣传，提高公众特别是全民的参与意识和环保意识，引导和培育大众树立健康科学的消费观，而由此衍生出的绿色需求在一定程度上必将转化为拉动循环经济发展的动力。

4. 技术因素

发展养猪业循环经济要靠绿色技术创新。加强研究开发循环经济发展所必需的技术，开展生态养猪业和产品生态设计理论研究与示范，实现由"末端治理"向生产全过程控制的转变。例如，近些年流行的发酵床养猪技术，可以利用微生物降解猪粪便并将其部分转化为猪的饲料，这样既减轻了污染又节省了成本；然而其核心技术是采集土壤微生物菌种并使菌种功能发挥出作用。

但目前菌种的制备技术还没用完全过关，相关的检测标准、检测手段和操控技术也尚存空白，还需要进一步深入的研究。

总之，要构建养猪业循环经济发展模式，政治或法律因素所作用的制度建设是保障，经济因素的激励是根本，技术因素的支撑是关键，社会文化因素的理念根植是落脚点，只有这四者平衡作用，才能和谐发展。

3.3.2 "两型农业"对养猪业转型发展的 SWOT 分析

SWOT 分析方法是一种常用的竞争战略分析方法。S 表示优势（strength），W 表示劣势（weakness），O 表示机会（opportunity），T 表示威胁（threat）。采用该方法对我国养猪业转型发展过程中所面临的内外部环境的有利因素和制约因素进行分析，从而为我国发展养猪业循环经济的战略选择提供依据。

1. 养猪业发展循环经济的战略优势

（1）产业升级和技术创新的作用

随着国家中西部崛起战略的实施，新一轮产业升级和转移正逐步趋向高潮。农业技术创新和推广也成为现代农业发展的重点。从养猪业循环经济发展的各个环节上看，生猪的生产养殖环节和粪便资源处理都离不开先进的技术支撑。养猪业生产过程中的技术创新和推广，都有利于发展养猪业循环经济。

（2）畜牧业朝规模化趋势发展

规模化养殖是畜牧业发展的必然趋势，也是畜牧业现代化的主要标志。养猪业作为畜牧业的主要产业，其规模也在不断扩大，2000 年我国的生猪出栏量为 5.49 亿头，到 2012 年我国生猪出栏量已达到 6.98 亿头。发展养猪业循环经济是实现养猪业可持续发展的关键。

（3）农民生态意识增强

转变养猪业发展方式的关键是养猪业主体的行为转变，而转变养猪户生态行为的前提是养猪户生态意识的教育、培养、觉醒与形成，只有养猪户的生态意识不断增强，才能促使养猪业朝着可持续方向发展。随着社会的不断发展，我国农民的综合素质在不断提高，随着养猪业的规模化发展，有很多高学历的青壮年农民参与到生猪产业中来，这是养猪业发展循环经济的根本出发点。

2. 养猪业发展循环经济的战略劣势

（1）资源约束矛盾

水资源和土地资源是发展规模化养猪的制约因素。养猪业是耗水的生产行业，每年猪饮水以及猪舍的清洁工作等都要消耗大量的水。据艾尔博特农业、食品与乡村事务部2006年的数据公报指出，一个自繁自养猪场的总耗水量平均为89.5升/（母猪/天）。同时，许多地区的水资源浪费现象也比较严重，在人均水资源匮乏的背景下，养猪业规模化的加剧将给水资源增压。畜禽养殖业是占用全球土地资源最大的产业之一，饲料生产和放牧草地占地$2.6×10^{10}$公顷，约占全球农用地的80%。建立一个万头规模的养猪场就需占地50~100亩。因此，耕地是发展规模化养猪业的一大制约因素。

（2）规模化生产程度不高

规模化养殖趋势既是养猪业发展循环经济的战略优势，又是其发展的战略劣势。近年来，生猪产业的规模化程度不断提高，为农业和农村的发展作出了很大贡献。但是我国仍然以散户和小规模养殖为主，养猪业在朝规模化方向的发展过程中，总体的发展水平不高，猪场基础设施落后，生产管理方式粗放，养殖技术不科学、不完善，不利于养猪业的可持续发展。

（3）产业内部结构不合理

养猪业内部结构是养猪业整体发展质量的体现。从广义的角度来看，养猪业主要包括产前饲料的供给、猪仔的供应，产中的养殖生产建设和管理，以及产后的粪便综合利用和产业化等生产要素的服务业。而目前生猪的生产部分的产值所占的比例过大，没有注重与生产相关的环境保护、污染治理和资源循环利用相适应的服务体系，这在养猪业的未来发展道路上将是被关注的重点和难点。

3. 养猪业发展循环经济的战略机会

（1）政府推动力大

2008年，国务院出台了《循环经济促进法》，从而从法律层面为保证循环经济发展模式的顺利实施奠定了法规保障。为了促进生猪生产发展和稳定市场供应，党中央国务院高度重视，出台了一系列促进生猪生产恢复和发展、保障市场供应的政策措施，国家出台的六项生猪养殖业补助资金分别是：能繁母猪补贴、生猪标准化规模养殖补贴、禽畜防疫检疫补贴、生猪良种与猪种引进补贴、能繁母猪保险补贴和生猪调出大县奖励资金补贴。例如，2008年，国家对能繁母猪补贴标准从每头50元提高到100元。

（2）人均收入不断提高

人均收入水平的提高将不断拉动生猪产品的市场需求。自1978年以来，中国城乡居民的人均收入持续稳定增长。1978年中国农村居民人均纯收入为133.6元，1990年达到686.3元，到2009年达到5153.2元，1978~2009年年均增长率达到 12.5%。1978 年中国城镇居民人均可支配收入为 343.4 元，1990 年达到 1510.2 元，到 2009 年达到 17 174.7 元，1978 ~ 2009 年年均增长率为 13.5%。随着人均可支配收入的增加，人们对肉蛋奶等畜产品的需求量也随之增加（张守莉，2012）。根据中国统计年鉴的统计数据计算整理，2001 ~ 2009 年，中国的人均猪肉消费量从 22.98 千克增加到 28.84 千克，呈增长态势。可见，人均收入水平的提高将为生猪产业的发展提供更为广阔的市场。

4. 养猪业发展循环经济的战略威胁

（1）环境污染严重

据研究，规模化畜禽养殖业粪便排放量是工业固体废弃物的 2.4 倍，以畜禽粪便为主的养殖污染已逐渐成为非点源污染的主要来源，产生了严重的"畜产公害"，不仅直接影响到畜产品质量和人畜安全，而且严重制约着养猪业的可持续发展。据测算，一个万头规模的养猪场需用地面积 50 ~ 100 亩，日排污水量 80 ~ 100 吨，日排粪量 8 吨左右，排泄物中含有的氮、磷等有机污染物造成水体富营养化、恶臭、土壤板结；含有的致病菌，如大肠杆菌、沙门氏菌等是人类的 10 ~ 100 倍。可见，畜禽污染物波及面广且危害大（程序，2006）。

（2）生猪产品质量安全问题

生猪产品质量影响着其在国内市场和国际市场上的竞争力。由于养猪户的环境意识较差，猪场的建设和饲养环境较差，再加上养殖户疫病防范意识淡薄，猪疫情发生的概率很高，对养猪户的打击就会非常大。部分生猪养殖户不但安全意识淡薄，而且受经济利益的趋势，缺乏社会责任感，在饲料中添加"激素""瘦肉精"等有毒、有害的非食品原料，来提高生猪的生长速度以及瘦肉的比例（刘娟，2012）。我国生猪质量安全已成为养猪产业持续发展的关键因素。

将上述分析扼要总结，如图 3-5 所示。

产业升级和技术创新的作用 畜牧业朝规模化趋势发展 农民生态意识增强		资源约束矛盾 规模化生产程度不高 产业内部结构不合理
	S / W	
	O / T	
政府推动力大 人均收入水平不断提高		环境污染严重 生猪产品质量安全问题

图 3-5　养猪业发展循环经济的 SWOT 分析

综上所述，我国养猪业在国家政策大力支持及产业发展前景良好的情况下，养猪业朝规模化、专业化方向发展速度加快；但与此同时，我国养猪业还未从根本上摆脱"高投入、高消耗、高污染、低效益"的粗放式发展模式，随着养猪业快速发展和饲养规模增大，养猪业产生的环境污染带来的威胁将愈发严重。如何节约资源、治理"畜产公害"，解决农村面源污染问题？如何转变养猪业发展模式，促进养猪业的可持续发展？都是需要迫切解决的现实问题。养猪业生态产业链的实质是发展养猪业循环经济，走农牧一体化道路，把治理生猪环境污染与生猪产业可持续发展紧密联合起来，是对片面追求养猪产业经济效益或片面追求治理养猪环境污染等观点的批判性继承。由于它构成了"生产者—消费者—分解者"有机统一的生态链，遵从自然生态环境自身的内在规律，具有强大的生命力，实现了养猪业可持续发展，是对当前养猪业探索养猪模式的一个很好启示。

3.4 结　　论

本章基于生态农业经济理论，分析小农经济下的"猪—沼—果（菜、粮、鱼）"模式；对养猪业的发展现状进行描述，发现养猪业生态产业链构建中出现的问题主要集中在资源负荷和环境污染，并从宏观和微观两个方面进行原因探讨；通过引进损害函数（damage function）和环境库兹涅茨曲线（environmental Kuznets curve）对规模型猪场所造成的环境污染及损害进行分析，进一步计算对改善猪场环境质量所带来的效益，对比污染损害分析说明建立养猪业生态产业链的必要性及可行性；最后关于养猪业循环经济发展模式的建设条件，运用PEST分析法和SWOT分析法，为"两型农业"时期养猪业发展循环经济模式提供了路径选择。通过研究表明，我国养猪业转型发展既面临着巨大的资源环境瓶颈约束的挑战，同时也面临着科学发展与转型发展政策助力等有利机遇和条件支撑，建立养猪业循环经济生态产业链模式符合生态经济规律。我国养猪业生态产业链的实质是发展养猪业循环经济，走农牧一体化道路，把治理生猪环境污染与生猪产业可持续发展紧密联合起来，从而有效解决养猪业发展与资源环境之间的尖锐矛盾。

第4章
养猪业生态产业链耦合机理分析

阻碍养猪业循环经济发展的直接原因就是规模化养猪人为割裂了养殖业与种植业之间的生态链与产业链之间内在的天然"耦合"联系。农业的特殊性在于，它是依赖自然生态环境建立起来的一种人工生态系统。它是自然再生产与经济再生产的有机统一，两者具有水乳交融、密不可分的"先天条件"，这就决定了农业经济系统更易于和谐地纳入自然生态系统的物质循环过程中，建立循环经济发展模式。既遵从养猪业"生态链"发展的生态规律，又遵从养猪业"产业链"发展的经济规律，构建养猪业生态产业链是本书的关键所在。养猪业生态产业链模式将生态环境与养猪产业发展紧密联系在一起，是协调两者发展的有效途径，因此研究养猪业生态产业链的"耦合"具有重要意义。

4.1 生态产业链的内涵与特征

4.1.1 生态产业链的内涵

生态产业链是一种特殊的产业链，是对传统产业链的生态化转型。尹琦和肖正扬（2002）最早提出生态产业链的概念，即依据生态学的原理，以恢复和扩大自然资源存量为宗旨，为提高资源基本生产率和根据社会需要为主体，对两种以上产业的联结所进行的设计（或改造）并开创为一种新型的产业系统的系统创新活动。之后，岳琴和尹琦（2003）又提出可更新资源生态产业链的概念，但基本含义没有多大变化。王兆华（2002）从资源循环的角度作出界定，他认为生态产业链是指某一区域范围内的企业模仿自然生态系统的生产者、消费者和分解者，以资源（原料、副产品、信息、资金、人才）为纽带形成的具有产业衔接关系的企业联盟，实现资源在区域范围内的循环流动。从定义来看，尹琦等对生态产业链的界定比较"中性"，既可应用于工业，也可应用于农业；而王兆华的界定显然更偏向于工业的应用。由此可见，学界对生态产业链的内涵强调以下两点：

一是，生态产业链的基本内涵是"链"的思想。生态产业链不是单一企业而是由关联企业构成的"链"，由上下游"链"上不同的生产者、消费者和分解者等分工不同的企业构成的一个"食物链"发挥着协同效应。

二是，生态产业链的基本内涵是"循环"机制。生态产业链与传统产业链的不同之处在于它是依据生态学原理建立的。传统产业链是按照"资源—产品—废物"单向线性运行方式运行的，而生态产业链的运行方式为"资源—产品—废物—再循环"，增加了循环反馈机制，目的是提高资源的利用效率并减少废弃物排放从而提高产业效率。因而生态产业链虽然是一个闭环型循环系统，但它并不是一个封闭的系统，而是一个不断与外界进行着物质、能量与信息交换的开放的耗散系统。

在随后的研究中，王芳和赵黎明（2007）专门提出农业循环经济生态产业链的定义，即农业循环经济生态产业链是通过立体种植、立体养殖等生产模式，使产业结构层次深化、产业链尽量延伸，力求把加工业、生产物质产业纳入农业循环经济产业路径中来，增加系统内部产业之间的耦合性，力争使农业循环经济的各组分（种植业、养殖业、加工业、生物质产业等），以最优化的方式链接起来，形成一个经济、高效、环保的农业循环经济产业流程，从而提高资源的利用率和转化率。

在此基础上，王培成（2010）首次对养猪业生态产业链概念进行界定，认为养猪业生态产业链即依据生态学原理，以养猪业为主体的某一区域农业生产系统模仿自然生态系统的生产者、消费者和分解者，建立立体循环农业，力争使养猪业的上下游产业（种植业、渔业、加工业等），以最优化的方式链接起来，形成一个经济、高效、环保、稳定的养猪业循环经济产业流程，从而提高资源的利用率和转化率。所以，养猪业生态产业链是一种特殊的产业链，是模拟自然界"生产者—消费者—分解者"模式而建立的，将养猪业经济活动组织成"资源—产品—再生资源"的闭环式流程，实现资源的低投入、高利用和污染低排放，它是对传统养猪业产业链的生态化转型。

4.1.2 生态产业链的特征

学术界依据耗散结构理论对生态产业链的结构进行探索。王兆华从系统论的观点入手，认为在生态工业园中，生态产业链并不是孤立存在的，它的运作需要公共设施、支持服务体系共同参与。仿照自然生态系统结构特点建立的生态产业链不仅应该包括生产者企业、消费者企业和分解者企业，还应该伴随着资金、信息、政策、人才和价值的流动。龚晓宁和钟书华（2003）根据生态工业园区内企业内部及企业之间物料交换的特征将生态产业链归纳为单链结构、并联结构、网状结构等几种模式，并且分析了每种模式的优缺点。杨雪锋和张卫东（2006）则根据产业组合方式和联系纽带的不同，把生态产业链分为市场关联型、资源关联型和技术关联型三种。

柴金艳（2006）从耗散结构理论出发总结了生态产业链结构的四点特征——开放性、动态平衡性、非线性和涨落反馈性。开放性是指生态产业链虽然是一个闭合循环，但是并非封闭的系统，生态产业链与外界有着物质、能量和信息的交换；动态性是指生态产业链虽然在一定时期内是相对稳定的，但是随着不同产业之间的比例和结构调整，长远来说是处于不断运动状态的；非线性是指生态产业链处于很多因素共同的作用之下，这些因素彼此之间相互影响相互制约，因此它们之间的联系是非线性的；涨落反馈性是指生态产业链资源的分配、利用、储备、再生受到环境、技术、政策、消费需求等多种因素的影响，这些因素在不同时期可能使生态产业链发生突变和分岔，并延伸出新的生态产业链。

养猪业生态产业链是生态产业链模型在养猪业中的运用，是农业循环经济的发展载体。养猪业作为主体，与农业、渔业、林业等产业有机结合，通过农牧一体化，将养猪业环境污染与可持续发展紧密结合，最终实现养猪业良性循环。养猪业生态产业链是循环经济在养猪业方面的具体体现，也是循环经济模式的具体应用。

养猪业生态产业链耦合是一系列相关主体相互作用的结果，其耦合机理不仅取决于各个链上主体的行为倾向，还与其本身所具备的特性密切相关。借助刘贵富（2006）对产业链基本特性的研究方法与视角，将养猪业生态产业链的基本特性分为静态特性、动态特性以及生态特性三种。

1. 猪业生态产业链的静态特征

（1）结构特征

从结构组成来看，养猪业生态产业链基于环境的生态链与基于经济的产业链"耦合"而成。所谓基于环境的生态链，是以养猪业副产物为对象，模仿自然界的"生产者—消费者—分解者"，把副产物消耗掉；所谓基于经济的产业链，是以猪产品为对象，通过利益联结、风险共担等机制，以企业之间、企业与农户之间的物流、信息流、资金流等为联系构成的一条空间链。

（2）空间特性

养猪业生态产业链的空间特性是指链上的各个节点主体从空间上必须落脚

到一定的区域。由于养猪业生态产业链把环境内生化，而环境无法像产品一样到处流动，因而养猪业生态产业链无法构成虚拟的生态产业链。养猪业环境污染问题与规划不当直接相关。发展生态养猪要因地制宜，发挥地区资源优势，依据经济发展水平及"整体、协调、循环、再生"的原则，运用系统工程方法，全面规划，综合治理，强化生态功能。近年来，我国养猪业以家庭副业为形式的分散经营向以工厂规模化养殖的集约化经营转变，养殖场地也由农村家庭向城市郊区转移，这在方便产品的产、供、销一条龙服务的同时，却也造成了农牧脱节，不容易或不能及时把粪肥返回农田处理。因而在规模化养猪厂址的选择上，第一要考虑在交通便利、用水条件良好的基础上尽量远离人口密集的地方；第二要考虑能够及时方便处理掉猪的排泄物，最好能利用到农田等地，达到循环利用。科学的规范化养殖小区，不仅可以规范猪圈，收集猪粪集中处理，还可以缓解因养猪造成的村内脏乱臭现象；而且可以降低治理污染成本，有规模才能建成现代化的有机肥厂。

（3）整合性特性

养猪业生态产业链的整合性特性是其需要跨越组织边界，在种植业、渔业等其他产业间进行系统整合优化。养猪业生态产业链上的任何一个个体单独去发展都不会达到效益最大化，而且还会损害环境，如猪场的粪便排放无法单独完全消解，需要同时大力发展种植业、渔业等；种田需要肥料，如果只用化肥，既污染环境又增加成本。因而，养猪业生态产业链应该跨越组织的界限，有效整合链上的资源，形成"猪—沼—果（菜、粮、渔）"等具有耦合特征的生态产业链，最终实现链上主体效益的最大化和整条链的效益最大化。

2. 养猪业生态产业链的动态特征

（1）时间特性

养猪业生态产业链的时间特性与一般产业链的时间特性大致相同，是指上下链环之间有时间先后之分，即从上一链环到下一链环是由于下一产业部门对上一产业部门产品进行了再次的追加工序（龚勤林，2004）。对于"猪—沼—X（粮、果、菜、渔）"的生态产业链实践形式，猪的粪便运输到沼气池的时间，沼气池产生的废渣运输到X（粮、果、菜、渔）的时间越短越好，而且要保持一定的次序性。如果时间过长，势必造成环境污染和资源浪费。

（2）互动特性

养猪业生态产业链的互动特性是指一方不能脱离另外一方而存在，他们是相互作用、相辅相成的。养猪业生态产业链耦合的目的就是其链上主体希望通过互动合作获得大于各自独立和对立时的经济效益、生态效益和社会效益，即

"1+1>2"。然而值得注意的是，这种作用不是静态的，而是动态的。因为猪场的规模可能受到市场、政策因素的影响，那么其所排出的副产物的量也会因此而波动，所以下游的主体无论是沼气池的构建还是种植业、渔业的发展都会因此而调整。另外，猪场的发展也应遵循畜禽场农田最低配置原则（指畜禽场饲养量必须与周边可蓄纳禽粪便的农田面积相匹配），即考虑农业环境的生产承载力。

（3）延展特性

养猪业生态产业链在运行过程中，要达到耦合稳定的目的，必然受到外部和内部的各种因素的影响。外部的利益诱惑、市场导向、政策安排等因素将使节点企业加盟或退出；而内部的猪场、种植业等规模也是在不断发展变化的，那么其行为也必将受到影响。因而，养猪业生态产业链在运行过程中，还需适时进行"补链"、向上游拓展、向下游延伸等工作，形成一条稳定、延伸性好、长度适当的产业链条。

3. 养猪业生态产业链的生态特征

（1）生态位特性

"生态位"（niche）由生态学家 Grinnel 在 20 世纪 30 年代首次提出，是生物对环境综合适应的能力，指其在生态系统中的功能与地位，包括两方面内容：一是从宏观上，考虑了生物与其所处环境之间的关系，体现了生态学的关键种特征；二是从微观着眼，涉及生物群落中种间关系，与其种间竞争现象息息相关（白金明，2008），体现了生态学的食物链特征。因而，生物的生态位特征包括其关键种特征和食物链特征两方面。同时，养猪业生态产业链的生态位又是包括可利用的社会因素和自然因素的综合（白金明，2008）。从养猪企业与其所处环境来看，养猪企业是生态产业链上的关键种企业。相对于分散农户而言，其规模大，是整个生态产业链的信息交换中心和物质流散地；同时，规模化猪场纵向连着第二、第三产业，可以通过向上下游拓展，延长产业链条，进而带动和牵制其他行业的发展，具有强大的辐射功能，影响着产业链的稳定性并决定着产业链的竞争力。一旦没有养猪企业，原有的生态产业链系统将会崩溃或重构（王小君，2008）。

从养猪业生态产业链物质运行关系来看，养猪业生态产业链是一个"生产者—消费者—分解者"的食物链模式。养猪企业为生产者，将猪粪便转化为资源的清洁技术，如沼气等则是分解者，而经转化后的资源被种植业或林业、渔业等消化，这就是消费者，进而构成了"养猪业—清洁技术（沼气）—X"的养猪业生态产业链食物链。

确定这种生态位，就是使各个环节的主体站对了位置，产业链的各个主体之间，每条产业链之间，每条产业链与各自的区域、环境之间都处在合适的位置，最终形成了产业链的比较优势（刘贵富，2008）。合理确定生态位，有利于养猪业生态产业链的耦合，有利于农业系统的稳定，避免由于产业链上的功能或作用定位雷同而造成的损失或恶性竞争。

（2）耐受性特征

如果生态系统受生态、经济因子的变化或经济系统影响，没超过系统的生态阈限，生态系统便得到补偿，其能量和物质转化率提升；如果超过了生态系统的生态阈限，受其承受力限制，生态系统将面临失控或生态失衡（张成考，2006）。

尽管生态系统有自我维持和自我调节的能力，然而由于环境的外部性，致使养猪企业主观上放纵污染物排放，受生态阈限的客观条件限制，养猪业不得不通过建立养猪业生态产业链来缓解与环境之间的矛盾。养猪业生态产业链作为养猪业经济、社会和环境协调发展的物质载体，通过链上主体间的匹配关系，保证养猪业生产活动在其生态阈限内，才能保证养猪业生态产业链功能正常发挥及系统内环境自我修复能力的恢复。

（3）共生特征

"共生"源于生物领域，由德国真菌学家德贝里在19世纪70年代末最早提出。他定义共生是一个或多个成员之间通过各种形式联系在一起的行为方式（王国弘，2009）。它主要由质参量兼容原理、共生能量生成原理和共生界面选择原理构成（袁纯清，1998）。质参量兼容指共生单元之间的相互联系，可以是食物上的互补，也可以是能量上的互助关系。共生能量生成包括两方面：一是用于共生单元的数量增殖，二是用于共生单元的功能改进。共生界面则是指共生系统的内在作用机制。"产业共生"（industrial symbiosis），首先出现在丹麦卡伦堡公司出版的《产业共生》一书中，主要指生态产业链上不同企业副产品之间的合作。随着研究的深入，一些学者对这一概念进行了修正。Lifset（1993）认为，产业共生不仅是关于生态产业链上共处（CO-location）企业之间的废物交换，而且是一种全面合作。

养猪业生态产业链是以养猪企业为生产者，以清洁技术为分解者，以农田等为消费者的生态系统，养猪企业产生的粪便通过清洁技术转化成为资源，进而被农地所吸收，也就是养猪业生态产业链的食物链关系。

养猪业生态产业链的共生不仅指上下游之间主体的合作，还指整个产业链与生态环境的协同发展。这种共生，也不仅仅是猪场与其他行业的废物交换，还是一种从制度上到经济利益上的全面合作。对养猪业生态产业链而言，共生能量生成表现为进入共生系统的农户和企业在合作下实现收益增加、规模扩大，即双赢的结果；而其共生界面则指的是养猪企业与农户之间的作用机制，包括利益联结机制、信任机制、制度机制等。

4.2 养猪业生态产业链耦合机理

当前我国对农业循环经济的发展正在初步探索中，作为生态产业链建设的核心环节，多省市、地区都在积极探索以养猪业为主体的循环农业发展模式并取得不少成果，如辽宁的"3+1"模式、山东的"点、线、面"模式及南方的"猪—沼—X"模式等，进一步推动我国养猪业生态产业链的建设和发展。建立养猪业生态产业链模式是建立农业循环经济最重要的环节之一，这一模式强调对养猪业中废弃物（主要是粪便）的减量化、资源化、无害化处理，然后把这种"再生资源"应用于农田或转换成沼气供人们使用，这样才能把养殖业和种植业以及人们的生活链接成一个多功能的农业共生体系，在整个系统内部既不产生废物（所有的废物都被转换成"再生资源"应用于下一个环节），也不对环境造成污染，同时降低养猪及种田的成本，具有明显的经济效益、生态效益和社会效益。该模式能够实现养殖业和种植业在功能上的互补，实现整体效益的最大化。例如，现在国家倡导的"猪—沼—X"模式，实际上就是以规模型养猪场为核心，以沼气工程为纽带，集养猪、种植、加工等为一体的生态系统。在这个生态系统中，规模型养猪场得到可持续的发展，物质和能量都在闭环中传递流动，环境受到了良好的保护，模式如图4-1所示。

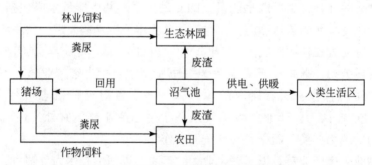

图4-1 养猪业生态产业链养殖模式图

按照生态产业链内涵界定中，尹琦、肖正扬、王兆华等提出的生态产业链的定义，均强调"依据生态学原理"，也就是既用经济规律又用生态规律来规划和发展现代产业，把经济理性与生态理性进行融合与协调。因此，生态学中"食物链"理论、"共生"理论、"生态位"理论、"关键种"理论等被广泛应用于生态产业链共生耦合的研究中。

4.2.1 养猪业生态产业链耦合原理

1. 食物链原理

食物链一词是英国动物学家埃尔顿（C. S. Eiton）于 1927 年首次提出的。生态系统中储存于有机物中的化学能在生态系统中层层传导，通俗地讲，是各种生物通过一系列吃与被吃的关系，把这种生物与那种生物紧密地联系起来，这种生物之间以食物营养关系彼此联系起来的序列，在生态学上被称为食物链。生态系统中的生物虽然种类繁多，并且在生态系统中分别扮演着不同的角色，根据它们在能量和物质运动中所起的作用，可以归纳为生产者、消费者和分解者三类。许文来（2007）在其生态产业链耦合的研究中也提到了"食物链（网）、生态多样性"的理论，强调生态产业链要达到一定的耦合要保持链上企业的多样性。

养猪业生态产业链的关系就可看成这种"生产者—消费者—分解者"的关系，在"猪—沼—X"模式中猪场作为生产者，沼气池可以看成是消费者，其消费的是猪场的副产物即猪的粪尿等，X 因素（种植业、渔业等）可以看成是分解者，其分解的是沼气池残留的废渣等。这样，养猪业生态产业链的食物链关系就可以最大限度地减少废弃物对环境的污染，还可以变废为宝，增加资源的利用率。食物链模式图如图 4-2 所示。

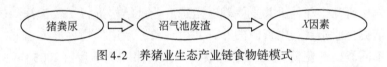

猪粪尿 ⇨ 沼气池废渣 ⇨ X因素

图 4-2　养猪业生态产业链食物链模式

2. 生态位原理

20 世纪 30 年代，生态学家 Grinnel 首次使用生态位这个名词，他把生态位定义为生物在群落中所处的位置和所发挥的功能作用。生态位原理要求对生态产业链进行设计时，应从整体着手，对于不符合整体设计要求的现实生态位或生产项目，通过逐步改进，以达到整体设计要求。我国学者钱言（2007）为将生态位理论应用于生态产业链共生耦合的研究打下了良好的基础，并为企业关系的优化研究提供了一个新的视角，从数理角度判断企业关系的状态以及形成该种状态的根源。刘晓燕等从生态位的密度和宽度探讨了战略稳定联盟的稳定性。

养猪业生态产业链的生态位综合了可以利用的社会因素和自然因素（白金明，2008）。确定合理的生态位，就是使各个环节的主体站对了位置，产业链的各个主体之间，每条产业链之间，每条产业链与各自的区域、环境之间都处在合适的位置，最终形成了产业链的比较优势（刘贵富，2008）。有利于养猪业生态产业链的耦合，有利于农业系统的稳定，避免由于产业链上的功能或作用定位雷同而造成损失或恶性竞争。

在养猪业生态产业链的物质运行过程中，养猪业生态产业链是一个"生产者—消费者—分解者"的食物链模式。养猪企业作为生产者，而将猪粪便转化为资源的清洁技术，如沼气池等则是分解者，经过转化后的资源被种植业或林业、渔业等消化，这就是消费者，进而构成了"养猪业—清洁技术（沼气）—X"的养猪业生态产业链食物链。

3. 共生耦合原理

在生态学中，处于共生关系的双方都能从这种关系中得到好处，如果失去一方，另一方也就不能生存。其在资源环境法词典（2005年）中定义为两种不同的生物生活在一起，互相依赖，彼此均获利的种间相互作用方式。Ehrenfeld 和 Chertow（2002）最早提出工业共生的概念，即工业共生指企业间物质、能源、水和副产品的物理交换，地理相近性提供了更广泛的合作可能性。正因为如此，共生在生态工业园中的应用更为广泛。

王兆华和武春友（2002）对生态工业园区内的产业链间的共生机理、共生模式作出研究，并基于共生原理对生态产业链结构进行了较为深入的探讨。郭莉等依据企业相互利用资源的互补共生现象，运用生物种群 Logistic 增长模型提出不同类型工业模式的稳定性条件。徐大伟和王子彦（2005）则介绍了生态工业园的发展先驱——卡伦堡生态工业园区的发展历程，并运用共生理论对生态产业链中的企业链接关系进行了充分的分析比较。其研究主要集中在关键项目、层级关系与互补性、多样性，资源的利用效率的研究分析。从张萌（2007）对工业共生的研究综述中可以看出国内外学者对共生在工业中的应用研究已经很多，但在生态产业链方面的应用研究还刚起步。

养猪业生态产业链是以养猪企业为生产者，以沼气池为代表的清洁技术为分解者，以农田、鱼塘等为消费者的生态系统，养猪企业产生的粪便通过清洁技术转化成为资源，进而被农田吸收，也就是养猪业生态产业链的食物链关系。养猪业生态产业链的共生不仅指上下游主体之间的合作，还指整个产业链与生态环境的协同发展。不仅仅是猪场与其他行业的废物交换，还是一种从制度上到经济利益上的全面合作。对养猪业生态产业链而言，共生能量生成表现为进入共生系统的农户和企业在合作中实现收益增加、规模扩大，即双赢的结果；而其共生界面则指的是养猪企业与农户之间的作用机制，包括利益联结机制、信任机制、制度机制等。

4. 关键种原理

所谓关键种，是指一些珍惜、特有、庞大的、对其他物种具有不成比例影响的物种，它们在维护生物多样性和生态系统稳定性方面起着重要的作用。关键种（key species）这一概念是由 Paine 于 1966 年首次明确提出的，它源于捕食者对群落中物种多样性的控制思想。关键种概念及其依据的理论认为：生物群落内不仅存在着制约种分布与密度的相互作用关系，而且还存在着起关键作用的物种，即关键种。Ayres（1996）在研究生态工业园的构建时率先提出"大型轴心公司"（anchor）的概念，而这种"大型轴心公司"往往为产业集群中关键企业，就如同生物群体中的关键种，能起到辐射、带头的作用，如同 Ayres 所说，这种"大型轴心公司能向其他公司提供原料或已加工过的材料，并将周围的公司联系起来，组成一系列'卫星型'企业，最后把废物集中化，利用科技转化为可以使用的产品"。许文来（2007）研究了"关键种"等生态学原理并以此为依据探讨了生态产业链的设计技术方法：即优选出以"关键种企业"为核心的主导产业链，进行工业代谢分析，引入补链项目，拓展主导产业链，构建其生态产业链；建立信息系统和废物资源化中心等生态产业链支持系统等。李红祥和葛察忠（2008）模仿"关键种"提出"关键产业"的概念，即处于生态产业网络关键节点处，能够对相关企业及整个网络的产业链延伸和产业发展产生不可替代的重要影响的产业。他指出关键产业的稳定、与辅助产业的协调和配套是整个生态产业链共生耦合和稳定的基础。

关键种企业共生网络模式对我国生态产业链的发展具有重要意义，它往往依据当地的资源禀赋发展而来，养猪业生态产业链中的关键种企业即为大型养猪场，比较典型的有武汉银河生态农业有限公司。该公司是一家集生猪饲养、淡水养殖、有机蔬菜、粮食、林果种植及销售为一体的农业型产业化市级重点龙头企业。但由于养猪业是一种资源消耗大、排污多、污染重的行业，尤其是在我国养猪技术不太先进的情况下，养猪业的发展与环境污染矛盾一直是该行业难以克服的一个大问题。如何解决这一难题，武汉银河生态农业有限公司在国家政策的大力支持下，转变发展战略，统筹规划，努力发展循环经济，按照总体规划，已实现"猪—沼—电""猪—沼—鱼（菜、湘莲藕、林果）"的农业循环经济模式；做到"旱能灌、涝能排、路能通、机能耕、田能肥、产能增"的生产格局。科学利用自然资源，充分利用生猪的粪便通过沼气池进行无害化、减量化、资源化的科学处理，并将生猪的大量粪便经过沼气发酵后再适时浇灌到农田菜地、藕池和林果园里，科学循环地利用资源；安装两组100千瓦的发电机组，使用沼气发电，节约能源；循环利用猪粪尿等废物，变废为宝，从而减少了环境污染并从中获益。养猪业关键种企业模式图，如图4-3所示。

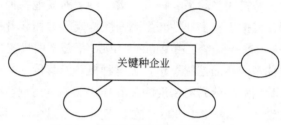

图4-3　养猪业关键种企业共生模式

养猪企业不仅是生态产业链上的关键种企业，相对于分散农户而言，其规模最大，又是整个生态产业链的信息交换中心和物质流散地；同时，规模化猪场还纵向连着第二、第三产业，可以通过向上下游拓展，延长产业链条，进而带动和牵制其他行业的发展，具有强大的辐射功能，影响着产业链的稳定性并决定着产业链的竞争力。一旦没有养猪企业，原有的生态产业链系统将会崩溃或重构（王小君，2008）。

资源和环境的双重约束，迫使人们重新审视现代各个产业的发展模式。生态产业链耦合理论就是在这样的背景下产生的，并被用来探索生态工业园或农业生态园在动荡变化的环境中实现稳定发展的重要途径。现在国内外学者对生态产业链耦合的概念、原则、方式和机制等方面都进行了十分有益的探讨，生态学中的食物链原理、生态位原理、共生耦合原理以及关键种原理等被广泛应用到工业和农业生态产业链的发展和研究中。但不得不承认，关于生态产业链耦合的研究还处于比较初级的阶段，还有很多问题需要深入的研究。

4.2.2　养猪业生态产业链耦合机理分析

基于以上理论，养猪业生态产业链耦合亦可借鉴食物链、生态位、共生耦合以及关键种等原理，并从养猪业生态产业链的实际出发来分析其具体的耦合机理。养猪业生态产业链作为一个系统，其耦合是在利益机制驱动与生态意识下形成的。驱动因素来源于三个方面：一是制度驱动，即国家生态补偿与补贴制度；二是市场驱动，即生态养殖带来的畜产质量的提高，品牌效应的扩大，价格的提高，进而从市场上获得经济利益；三是内在驱动，即产业链内部合作带来的交易成本下降与风险分担。生态意识即链上主体对农产品质量问题的关注、对环境污染的认知及污染的处理方式、环保支付意愿以及对生态产业链模式的认可。

与自发性的生态系统不同，养猪业生态产业链必须依靠政府调控，制度诱导是促进其两链耦合的关键因素。且在耦合过程中，链上主体立场各不同，利益来源也差异甚大，因为耦合过程免不了互动博弈，为了使博弈均衡为两链共生耦合，那么也必须由制度诱导，使各主体同心协力共建养猪业生态产业链。

如果仅仅通过制度诱导，养猪业生态产业链不能在市场机制的大环境下凸显其竞争性，那么养猪业生态产业链也只会是昙花一现，不可能保持稳定更不可能实现可持续发展。也就是说养猪业生态产业链必须要有竞争性的市场价值，其市场价值的创造不仅需要企业家洞察消费者的喜好，从而打造市场所需的无公害产品、绿色食品、有机食品等，以及由初级的农产品延伸深入加工的高级产品、第二产业甚至第三产业产品。另外，在打造产品的同时也得塑造产品形象、公司形象等。总之，在市场中赢得竞争性价值才能保障并激励养猪业生态产业链耦合的发展壮大。

但是在保证了制度供给与市场价值之后，养猪业生态产业链上主体内部不能协调发展，甚至是相互冲突，那么养猪业生态产业链的耦合还是会遭到破坏。因此链上主体在重复的动态博弈中，如果不仅能从市场上盈利，而且能从内部的物质循环、资金循环、能量循环中达到风险分担，降低交易成本，最终形成多赢的局面，那么养猪业生态产业链的耦合将更加牢固与稳定。

最后养猪业生态产业链上各主体的生态意识也是驱动多方耦合的重要因素之一。只有在具备生态意识的前提下，各方才会积极寻求耦合，从而达到产业链与生态链的共生。

综合上文分析可知，养猪业生态产业链的耦合机理正是在遵循食物链、生态位、共生耦合以及关键种等原理的基础上，由利益机制驱动与生态意识驱动相互作用形成的。

4.3 养猪业循环经济生态产业链博弈机理

养猪业生态产业链是以养猪业为主体的某一区域农业生产系统模仿自然生态系统的生产者、消费者和分解者，建立起"猪—沼—X（粮、果、菜、鱼）"等形式的农牧一体化的共生"食物链"，把猪场所排放的废弃物或其他副产品作为下游企业的生产原材料，通过清洁生产、循环利用等手段达到废弃物的循环利用，实现经济效益及生态效益。然而养猪业生态产业链上涉及主体较多，而且价值导向往往不一致，导致其行为、决策出现矛盾。同时，环境具有"公共物品"性质，目前的自然资源价格还不能反映其真实价值（陈瑾瑜和王朝全，2007）。因此，养猪业生态产业链的耦合很难自发实现，不仅需要链上各个主体能够对应生产者、消费者、分解者的各个角色，还需要政府的各项政策机制保障。

本章借鉴蔡小军等（2006）、陈瑾瑜和王朝全（2007）研究生态产业链所采用的博弈论的方法来探讨养猪业生态产业链耦合的机理。

4.3.1　上下游主体间的博弈模型

养猪业生态产业链上的各主体之间的相互作用可以视为一个博弈过程。通常各主体选择合作策略能够实现互利共赢达到各方利益最大化，但这种理想的合作策略一般会因机会主义的困扰而无法成为稳定的纳什均衡，养猪业生态产业链的实践也往往因此陷入"囚徒困境"。因此，本节博弈分析的基本假设如下：

第一，强调单个主体的经济理性，即对应于养猪业生态产业链上的"生产者、消费者、分解者"的各个主体在进行行为决策时，能够充分考虑其他主体的行为以及主体间的相互作用，并根据所考虑的结果作出合理性的选择。

第二，认为上游主体为下游主体提供原材料，即养猪业生态产业链上的生产者为消费者所提供的废弃物等，并设原材料的加工成本为 C_0，若不进行加工，直接进行粗放处理 C_0^*，则支付成本为从下游企业所得到的收益为 C_i；如果下游主体不接受上游主体所提供的原材料，则需要从其他渠道进行购买，设其支付成本为 C_j；此外，上下游企业若要选择合作策略则能够得到政府的优惠分别为 H_i 与 H_j，否则受到的惩罚为 L（惩罚幅度）（张聪群，2007），且 L 随机制约束的严格和声誉的下降而增大。由于不合作行为受到惩罚往往是在一段时间以后才实现的，需引入贴现系数 δ（$0<\delta<1$）。δ 越接近 1，表示博弈方对未来收益的价值评价与当前收益越相近；δ 越接近 0，表示博弈方对未来收益的价值评价越低。

通过以上假设，上下游主体博弈后的得益矩阵如图 4-4 所示，从计算的结果可以得出，当上下游主体选择（合作，合作）策略时，双方的得益最大，即此策略为纳什均衡。

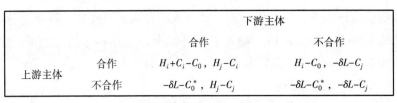

	下游主体			
		合作		不合作
上游主体	合作	$H_i+C_i-C_0$, H_j-C_i		H_i-C_0, $-\delta L-C_j$
	不合作	$-\delta L-C_0^*$, H_j-C_j		$-\delta L-C_0^*$, $-\delta L-C_j$

图 4-4　上下游主体间的博弈模型得益矩阵

实际上，也只有在这一均衡下，才能实现废弃物的循环利用，实现养猪业生态产业链的耦合。因此，本书仅考虑实现这一纳什均衡的条件，即

$$H_i+C_i-C_0>-\delta L-C_0^* \tag{4-1}$$

$$H_j-C_i>-\delta L-C_j \tag{4-2}$$

4.3.2　政府与养猪企业间的博弈模型

养猪业生态产业链的耦合行为在产生经济效益的同时，还最大化解决了猪场环境污染问题。规模型猪场作为废弃物污染物的主要排放者，也承担了养猪业生态产业链中的"生产者"角色，因此要实现废弃物的循环利用，生产者必须承担起环境保护责任，然而这又势必增加生产成本。因此，要实现养猪业生态产业链的耦合，特别是企业愿意去支付一定成本来发展循环经济，则需要政府制定和完善相关的法律法规、机制以及经济政策，改变环境的"公共物品"性质。

为方便分析，假定 C 为政府部门对养猪业生态产业链监管、制定政策机制等的成本；C_1、C_2 为广义的企业成本，其中 C_1 为选择合作时的企业成本，C_2 为选择不合作时的企业成本，H 为政府对企业优惠，L 与 δ 仍为惩罚幅度与贴现系数。

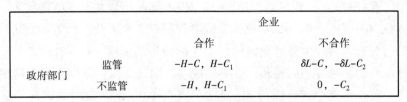

	企业			
		合作		不合作
政府部门	监管	$-H-C$, $H-C_1$		$\delta L-C$, $-\delta L-C_2$
	不监管	$-H$, $H-C_1$		0, $-C_2$

图 4-5　政府与企业之间的博弈模型得益矩阵

根据图 4-5 博弈的结果，当政府选择监管的策略时，企业的最优策略是合作（$H-C_1>-\delta L-C_2$），而当企业选择合作的策略时，政府的最优策略则是不监管（$-H>-H-C$）。同样的分析，当政府选择不监管的策略时，企业的最优策略是不合作，而当企业选择不合作时，政府的最优策略为监管。显然，无法形成

一个策略的纳什均衡，只能借助混合策略的纳什均衡来求解。假设政府部门采取监管的概率为 a（$0<a<1$），则不监管的概率为（$1-a$）；企业采取合作策略的概率为 b，不合作策略的概率为（$1-b$）。故给定企业采取合作的策略时，政府部门的期望收益函数为：

$$S_z(a,b)=a[b(-H-C)+(1-b)(\delta L-C)]+(1-a)[b(-H)+(1-b)o] \quad (4-3)$$

令 $\dfrac{\partial S_z}{\partial a}=0$，计算得到：

$$b^*=\frac{\delta L-C}{\delta L} \quad (4-4)$$

同样的，给定政府部门采取监管的策略时，企业的期望收益为：

$$S_q(a,b)=b[a(H-C_1)+(1-a)(H-C_1)]+(1-b)[a(-\delta L-C_2)+(1-a)(-C_2)]$$
$$(4-5)$$

令 $\dfrac{\partial S_q}{\partial b}=0$，经计算得到：

$$a^*=\frac{C_1-C_2-H}{\delta L} \quad (4-6)$$

以上博弈结果的经济含义：通过前文上下游企业之间的博弈分析以及政府与养猪业生态产业链企业间的分析，分别得出相应的均衡条件，对这些均衡条件所代表的经济含义分析如下：

式（4-1）与式（4-2）中，当政府的惩罚幅度及优惠一定时，对 C_j，C_0^*，C_0 等变量的调整是使该等式成立的有效措施，即对加工原材料的成本、直接排放污染物的成本以及支付成本的合理调整，而这一成本的主要调整者取决于上游企业。在养猪业生态产业链中，这种成本的决策主要取决于处在上游企业的生产者。

为使式（4-4）与式（4-6）中 a^*、b^*（两者必须大于0）有意义，则要求 $\delta L>C$，$C_1-C_2-H>0$。$\delta L>C$ 意味着政府部门对企业不合作行为的处罚应高于政府部门对于养猪业生态产业链施行监管所付出的成本，C_1-C_2 代表上下游企业通过废弃物的循环利用整条产业链的成本，因此降低整条生态产业链成本的思路之一首先是缩小 C_1-C_2 的差，即加大上下游企业废弃物的循环力度；此外，政府部门对养猪业生态产业链施行监管的概率应该大于 a^*，具体体现为政府部门的监管力度以及生态产业链内企业的执行力度等。

通过以上分析可以得出以下两个结论：

结论一：养猪业生态产业链的耦合取决于上下游主体的动态博弈，其中生产者作为生态产业链的发起者以及原材料的制造者占有主要的作用；养猪业生态产业链耦合的条件为 $H_i+C_i-C_0>-\delta L-C_0^*$ $H_j-C_i>-\delta L-C_j$ 其政策含义是要合理确定产业链的运行成本以及利益分配。

结论二：政府在养猪业生态产业链主体的各种博弈中具有重要的影响，对养猪业生态产业链的耦合应该实行一定的政策监管，制定相应的机制。与政府之间的互动，养猪业生态产业链的耦合应该要求 $\delta L>C$ 与 $C_1-C_2-H>0$ 这两个条件成立，其政策含义为其一是充分利用链上的资源，实现资源互补，循环利用；其二是合理确定监管力度，对在养猪业生态产业链运行中违反合约的要加以惩罚，对遵守合约的要加以补偿。

4.3.3 武汉市东西湖区低碳农业生态产业链耦合机制的应用

1. 东西湖区低碳农业生态产业链发展背景

武汉市东西湖区已于 2006 年被国家正式列为全国首批 13 家循环经济试点工业园区之一。2007 年东西湖区根据区内资源禀赋特点，紧密结合实际，以循环经济理念为指导，以经济结构调整为主线，以提高资源转化利用效率和减少废弃物排放为重点，大力发展低碳农业，主要在养殖业、种植业、农产品深加工和生物制药业之间形成资源相互利用、循环再生的共生耦合产业链（图4-6）。农业种植业为农产品深加工和畜牧养殖业提供原材料和饲料；种植业和畜牧养殖业为食品加工业提供原料，产生的粪污变废为宝，生产有机肥料供种植业使用；食品加工业的废弃物作为原料进入生物制药行业，从而建立和完善行业内部及行业间的产业链和产品代谢，实施清洁生产和资源、废物的资源化、减量化和循环再利用，不仅实现了废弃物的资源化利用，而且提高了资源利用效率，还大大减少了废弃物的排放所造成的环境污染，美化了环境，真正使农业朝低碳化方向发展。

2. 农业生态产业链共生耦合机制的应用

保证这些低碳农业生态产业链的可持续发展，建立共生耦合机制是关键。东西湖循环经济园区对此进行了深入探索，产生了良好的成效。

（1）资源循环利用机制是基础

东西湖区是武汉市养牛基地，2007 年就形成了 11 个养牛小区，达到存栏14 800 头的规模。规模化养殖在带来经济效益的同时，也产生了大量的牛粪和污水，每年牧业园牛粪排放量达 14.8 万吨，污水排放量为 103.6 万吨，带来了严重的环境污染。东西湖区根据循环经济理念，建立了低碳农业生态产业

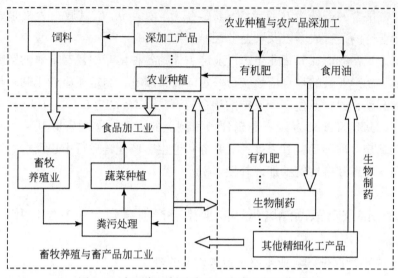

图 4-6　东西湖区低碳农业生态产业链运行模型

链，中化东方肥料有限公司投资 780 万元兴建生物有机肥料厂，将养殖小区产生的牛粪和部分尿液利用现代方法变成高效有机肥。这些有机肥再供给慈惠、新安渡等生态农业基地生产无公害蔬菜和绿色粮食，粮食秸秆用来养牛，从而实现了生物资源的循环利用。仅此一项工程，每年消耗秸秆 7 万吨左右，农民增加收入 1500 多万元。

（2）生态价值补偿机制是重要调控手段

为推动东西湖区企业发展低碳农业的积极性，实现对资源的高效利用，尽快实现低投入、低消耗、低排放、高效率的目标，东西湖区从区财政拨出专款，设立东西湖区推动循环经济发展专项资金，并制定出《东西湖区推动循环经济发展专项资金使用管理暂行办法》，对进行循环经济技术开发研究、生物能源合理化使用以及废弃物再生利用的企业给予财政补助和其他优惠政策，如采取绿色招商、重点发展补链项目、提高生态产业链产出效率。为了优化生态产业链网络，园区对为生态环境作出贡献的企业或补链项目加以补贴，最终确定了对 10 家企业的 12 个项目给予扶持，其中有 10 个节能降耗项目的设备补贴和 2 个企业的清洁生产审核补贴，共计补贴资金 246 万元。这些激励与补偿机制的建立，提高了企业发展低碳农业的积极性。

（3）合理的利益分配机制是关键

通过全面的设计和规划，园区成立了"公司+基地+农户"的组织方式，使生态产业链上的利益相关者通过契约方式结成利益共享、风险共担的利益共同体。在政府的扶持下，遵循市场机制作用，利益重点向链上"弱势群体"

（农户或小企业）倾斜，使企业得发展，农户得实惠，以此形成稳定发展的共生耦合系统。例如，园区内的辛安渡农场引进了武汉绿环有机农业发展有限公司，该公司开发了优质肥牛、双孢菇种养循环经济基地项目，将肥牛产生的粪、尿纳入沼气池，沼气供农户取暖、生火、做饭，沼渣种蘑菇，沼液种有机蔬菜，减少了农药和化肥的使用，减少了 CO_2 排放，提升了农产品档次，实现了农业规模化、绿色化和品牌化，在解决环境污染的同时又提高了合作者的发展水平，形成低碳农业生态产业链良性循环发展的新路子。

4.4 结　论

养猪业生态产业链是一种特殊的产业链，是模拟自然界"生产者—消费者—分解者"模式而建立，将养猪业经济活动组织成"资源—产品—再生资源"的闭环式流程，实现资源的低投入、高利用和污染低排放，是对传统养猪业产业链的生态化转型。根据养猪业生态产业链的内涵定义以及结构理论将养猪业生态产业链的特性主要分为静态特性、动态特性及生态特性三种。通过对养猪业生态产业链上下游主体之间以及政府与企业之间的博弈分析，得到了养猪业生态产业链耦合的纳什均衡条件和混合纳什均衡条件，并以此得出相应的结论。养猪业生态产业链的耦合取决于上下游主体的动态博弈，其中生产者作为生态产业链的发起者以及原材料的制造者占有主要的作用；政府在养猪业生态产业链主体的各种博弈中具有重要的影响，对养猪业生态产业链的耦合应该实行一定的政策监管，制定相应的机制。总之，养猪业生态产业链的耦合机理正是在遵循食物链、生态位、共生耦合以及关键种等原理的基础上，由利益机制驱动与生态意识驱动相互作用形成的。

第 5 章
养猪业生态产业链耦合影响因素
实证分析

要转变养猪业的发展模式，必须鉴别影响其生态产业链耦合的关键因素，有针对性地解决现阶段养猪业的问题，才能实现养猪业生态产业链耦合长效发展。养猪户是养猪业生态产业链上的"关键种"，其循环经济生态行为的深入与否直接决定养猪业生态产业链能否耦合，以及耦合的稳定性与长久性。本章运用条件价值法（CVM）评估养猪户的环保支付意愿，同时对养猪户采纳养猪业循环经济生态产业链行为进行模型构建，找出微观主体亲环境行为的影响因素，为构建新的制度安排与政策措施提供实践佐证。

5.1 研究假设与理论分析

5.1.1 研究假设

为理清本章的研究思路，作出以下假设：

假设一：生态经济人假设。传统的经济人假设认为人具有完全的理性，可以作出让自己利益最大化的选择。而在循环经济理论中，假定理性选择是群体理性而非个人理性，同时经济人演变为生态经济人。所谓生态经济人，他的决策和选择不能仅仅以经济利益为单一目标，还要考虑生产方式对生态环境的影响，兼顾经济利益和生态利益。故本节在养猪业生态产业链耦合不同主体的研究中，不是考量其完全经济理性下的选择或采用行为，而是考量其生态经济理性下的选择或采用行为，把生态环境作为内生变量引入研究框架。

假设二：养猪户（场）对生态产业链模式的选用倾向与耦合成正相关假设。养猪业生态产业链模式作为一种先进的理念、技术和发展模式在养猪户（场）中推广，养猪户对该模式的采用无疑会积极促进养猪业生态产业链的耦合。因此本书基于此假设研究影响养猪业生态产业链耦合的因素。

5.1.2　理论分析

　　生态产业链的形成过程与成长环境的复杂性，决定了企业间共生耦合关系的建立会受到多种不同因素的影响从而产生不稳定性，进而制约生态产业链共生耦合的发展（李颖，2013）。

　　学者们从不同的视角，研究了影响生态产业链耦合的因素。首先，基于生态产业链多样性视角，科特（Cote）等认为，通过生态位添补的形式提高生态产业链企业的多样性，有助于实现生态产业链的耦合。申农和韦佛则进一步证明，在大多数情况下，生态产业链的多样性越高，产业链的耦合能力越强。肖忠东、王灵梅和王金屯认为，生态产业链的耦合与产业链的长短有关。其次，基于生态产业链构建的动力视角，皮埃尔·德什罗耶和西尔提出，自然组织形成的生态产业链的耦合性要高于因政治需要由政府主导建立的生态产业链。再次，从系统稳定运行与管理的角度，武春友等认为，生态产业链的耦合影响因素主要分为三个维度：结构维度因素、技术维度因素和外部条件维度因素。段宁等则通过统计学方法揭示出，影响生态产业链耦合的因素包括信息平台、政府支持力度、资源交换技术、核心企业实力、成员主营业务多样化、产业链内成员企业之间的沟通障碍、生产变动，这些因素与生态产业链运行的耦合有显著联系。最后，从企业战略联盟稳定性角度出发，刘晓燕和阮平南认为，当企业间战略联盟内的生态密度与联盟内成员的死亡率正相关时，联盟耦合性较差；负相关时，耦合性较高。蔡继荣和郭春梅（2007）研究指出，资产专用属性、市场交易频率、价格比和内部企业间的交易频率等要素都对企业战略联盟耦合产生影响。王裙研究得出，企业退出战略联盟成本的高低会直接影响企业组织的耦合性。李继宏等基于耗散结构理论研究了协同收益分配对生态产业链耦合的影响。

　　基于以上研究，从协同角度出发，可以发现目前关于生态产业链耦合影响因素的提出相对主观，缺乏理论依据和实证检验（于成学和武春友，2013）。养猪业生态产业链作为生态产业链的一种模式，其链上主体不同于一般形态的企业，因而其耦合因素更为特殊。然而关于现代的养猪业循环经济生态产业链耦合的研究，大多停留在定性的描述以及宏观层次的研究，对养猪户行为、规模化猪场生产行为的研究较为缺乏，而从微观角度，对养猪业生态产业链的耦合的研究更为少见。尤其是对于养猪户建立生态产业链的影响因素研究，至今还未出现全面的、令人信服的研究成果。实际上，养猪业生态产业链的耦合不是完全以经济利益为目标的，要考虑环境的承载力。对于养猪业生态产业链耦合来讲，考虑环境承载力的目的不仅仅是为了保护生态环境，也是为了通过实施环境保护措施提升猪类产品的质量，从而提升经济效益。

养猪业生态产业链作为一个系统，其耦合是在利益机制驱动与生态意识下形成的。驱动因素来源于三个方面：一是制度驱动，即国家生态补偿与补贴制度；二是市场驱动，即生态养殖带来的畜产质量的提高，品牌效应的扩大，价格的提高，进而从市场上获得经济利益；三是内在驱动，即产业链内部合作带来的交易成本下降与风险分担。生态意识即链上主体对农产品质量问题的关注、对环境污染的认知及污染的处理方式、环保支付意愿以及对生态产业链模式的认可。作为养猪业生态产业链的"关键种"——规模化养猪场，其生产行为在整个生态产业链的耦合中起到了主导作用。养猪户生态行为也是在利益机制驱动、生态意识以及其自身相关因素等的共同约束条件下相互联系、相互作用的结果。

环境行为具有巨大的外溢性效益，且主要表现为外部宏观社会效益。养猪业的环境治理效益包括有形效益和无形效益。目前的评估实例只能对其中可量化的有形效益进行定量估算，但不能估算其中难以量化的无形效益。条件价值法（contingent valuation method，CVM），是国际上对资源环境物品和生态系统服务价值评估研究最主要的方法之一。该方法随机选择部分家庭或个人作为样本，以问卷调查的形式通过询问一系列假设问题，模拟市场来揭示消费者对资源环境等公共物品和服务的偏好（马中，1999）。Criacy-Wantrup（1947）第一次提出 CVM 的基本思想，并用来研究林地宿营的休憩价值；随后，CVM 方法得到进一步的研究和完善。Davis 于 1963 年率先将其运用于污染防控的经济价值评估，此后该方法被频繁用于对环境影响的污染防控的经济评价之中。Drake 应用 CVM 评估瑞典农地景观的非市场价值；三菱综合研究所（1991）运用 CVM 评估日本水田的非市场价值；Pruckner（1991）对奥地利的农地景观价值做了游客最高支付意愿的定量计算。中国于 20 世纪 80 年代引入 CVM 的基本理念，从 90 年代开始运用该方法进行经济价值评估。宋敏等（2000）、王寿兵等（2003）是国内较早研究 CVM 的学者，他们运用 CVM 对农地的外部效益进行评价，对上海苏州河的景观价值进行定量计算。目前，CVM 被广泛应用于农业生态环境损害与保护经济价值的评估方面（刘光栋等，2004；蔡银莺等，2006；马文博等，2010）。刘光栋等（2004）应用 CVM 调查了华北高产农业区山东省桓台县公众对防治农业面源污染地下水所需费用的支付意愿；蔡银莺等（2006）、马文博等（2010）运用 CVM 估计湖北省、河南省汝州市农地保护的经济价值。

由于 CVM 在评估公共物品价值方面具有独特优势，能计量公共物品由于它的外部性引起的难以用货币量化的那一部分价值，所以同样适用于定量计算由治理养猪业环境的外溢性所带来的社会效益。CVM 的规范性和完善性已为前人的研究所证明（彭希哲和田文华，2003），因此，本书将运用该方法，以武汉市养猪业治理作为研究对象，运用 CVM 来计量养猪户（场）为猪场环境质量改善的支付意愿，旨在为科学地制定养猪业环境治理政策提供理论与实证依据。

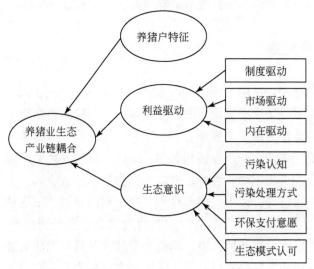

图 5-1　养猪业生态产业链耦合因素研究模型

基于上述分析，构建分析模型如图 5-1 所示。为验证模型，本书通过描述性统计和计量经济分析等手段来探讨影响养猪业生态产业链耦合的各个因素。

5.2　计量经济模型与变量解释

5.2.1　模型建立

基于假设二，本书通过测量养猪户的生态行为来间接测量其生态产业链的耦合。养猪户采用生态行为与否是二元离散变量，本书对养猪户（场）选用养猪业生态产业链模式中的任意一种，即用 1 表示，反之用 0 表示，因变量数据类型决定了本书适合应用二元 logistic 函数模型。logistic 函数模型是由美国学者波尔等于 1920 年研究果蝇的繁殖过程中发现并推广应用的，我国学者刘万利等（2007）在对养猪户采用安全药品行为的意愿分析中采用了这一模型，并得到了不错的效果。logistic 函数模型能有效地将回归变量的值域限定为（0，1），特别适用于因变量为二分类的资料。本模型的因变量即养猪户实施生态产业链养猪模式，变化范围为 0 ~ 1，用概率来表示这一变化，下面为

logistic 的概率函数模型：

$$P(Y=1\mid X)=\pi(X)=\frac{e^{\alpha+\beta X}}{1+e^{\alpha+\beta X}}=\frac{1}{1+1/e^{\alpha+\beta X}}$$

式中，P 表示养猪户（场）选用养猪业生态产业链模式的概率，β 表示影响因素的回归系数，X 是自变量，表示影响因素，α 表示回归截距。

5.2.2　解释变量

养猪业生态产业链耦合的驱动因素落实到养猪户上也是以上三大类因素，不过内容要少于整个产业链耦合的所有因素。利益机制包括以下几种。①制度驱动。针对养猪户的制度主要是各种补贴和环保部门在养猪场建场之初进行的环境影响评价，建设生态产业链相关的补贴则有规模养猪场建设补贴、沼气池建设补贴等。②市场驱动。养猪户方面主要为猪场经营收入，包括生猪出栏收入与沼气工程收益等，如沼气燃料获利、沼液利用获利、沼渣利用获利、发电获利等。③内在驱动。其为养猪户与周边农户合作所获得的便利以及风险公担。在生态意识方面，环境污染认知则为对猪场及其周围环境造成污染的认知及采取的治污措施，环保支付意愿，即环保支付的意愿与支付值，对生态产业链模式的认可，即认可生态产业链的价值。

养猪户（场）是否及如何选择生态产业链养猪模式，是在其个体利益驱动和生态意识引导下，根据其自身的发展情况，并在既定的自然资源约束、社会资源约束以及经济状况约束下，对生产性投资和技术选择的活动。结合前人研究和实际调查，本模型引入以下解释变量，并对各变量对因变量的影响作用作出预期假设，如表 5-1 所示。

1）养猪户特征。包括养猪户的性别、年龄、从事本行业的时间、受教育程度等。

2）制度驱动。补贴方面规模化养猪场建设补贴、沼气池建设补贴，环保部门在养猪场建场之初进行的环境影响评价包括有关部门审批与否、环境影响评价与否。

3）市场驱动。用猪场的经营收入来表示。

4）内在驱动。用与周边农户合作是否利于应对市场风险与否来测量。

5）生态意识。包括养猪户对生猪质量与安全问题的关注、养猪场对周边环境的影响、养猪户对猪场环保问题的重视，采取治污措施与否、建有雨污分离设施与否、建有储粪池与否、建有猪粪水处理设施与否，建沼气池与否、沼气池正常运营与否，环境改善的支付意愿值等。

表 5-1　解释变量赋值及预期作用方向

变量维度	测量项目	变量定义	作用方向
养猪户特征	性别	女 =0，男 =1	
	年龄	实际年龄	+/-
	从事本行业的时间	实际年数	+/-
	受教育程度	小学以下 =1，初中 =2，高中（职）=3，大专 =4，本科及以上 =5	+/-
制度驱动	规模化养猪场建设补贴	否 =0，是 =1	+
	沼气池建设补贴	否 =0，是 =1	
	有关部门审批	否 =0，是 =1	+
	环境影响评价	否 =0，是 =1	
市场驱动	猪场年收入	实际年收入	+
内在驱动	与农户合作利于应对风险	否 =0，是 =1	+
生态意识	对生猪质量与安全的关注	非常不关注 =1，不太关注 =2，一般 =3，比较关注 =4，非常关注 =5	+
	养猪场对周边环境的污染	很小 =1，较小 =2，一般 =3，较大 =4，很大 =5	+
	重视养猪场环保问题	否 =0，是 =1	+
	采取治污措施	否 =0，是 =1	
	雨污分离设施	否 =0，是 =1	
	储粪池	否 =0，是 =1	
	储粪池防渗工艺	否 =0，是 =1	
	沼气池	否 =0，是 =1	+
	环保支付意愿	环保支付意愿值	+

+表示影响因素对解释变量起正相关作用；−表示影响因素对解释变量起负相关作用；+/−表示不相关或无法确定影响方向

5.3　数据来源与统计分析

5.3.1　数据来源与样本情况

1. 数据来源

本研究调查分为两个阶段。

第一阶段是对养猪户环保支付意愿与养猪业生态产业链耦合因素的测量。

数据来源于课题组 2008 年 8~11 月对武汉市辖区、蔡甸区、江夏区、新洲区和黄陂区的中小型规模养猪场的调查。调查方法为随机抽样中的分层抽样。分层抽样是将总体单位或元素按其属性、特征分为若干个层次或类型，然后在各类型或层次中按随机原则抽取样本，而不是从总体单位或元素中直接抽样。分层抽样方法的一个最大优点就是在同等条件下可以大大提高样本的代表性（仇立平，2008）。由于武汉市大于 50 头的规模型养猪场共有 3636 家（数据来源于《武汉市 2007 年农业年鉴》），其中规模在 50~2999 头的中小型规模养猪场有 3573 家，约占 98%，具有代表性，故实际调查是以武汉市中小型规模养猪场为调查范围，由调查员对以上各地的中小型规模养猪场进行随机抽取，每地约为 80 户。调查对象为以上中小型规模养猪场的参与者。调查内容包含：中小型规模养猪场经营者的个人特征基本信息、猪场发展信息；养猪场对其污染物的处理方式；养猪户对生态养猪的认识；养猪户（场）对猪场环境改善的支付意愿等。全部调查都以调查员直接对农户进行面对面的口头询问和养猪户自填的方式进行。正式调查前，笔者已对武汉市辖区进行了三次预调查，并根据反馈意见对调查问卷作出相应的修改。

其中养猪户环保支付意愿的测量是利用 CVM 调查进行的，其关键是如何引导出他们对养猪业污染防控价值的真实估价。条件价值法（contingent valuation method，CVM）是评估非市场交易商品价值的基本方法。该方法是在建立假想市场的情况下，通过询问人们对某一环境效益改善或资源保护措施的支付意愿，推导出环境商品的经济价值（Mitchell and Carson，1989）。由于 CVM 在评估公共物品价值方面具有独特优势，能计量公共物品由于它的外部性引起的难以用货币量化的那一部分价值，所以同样适用于定量计算由治理养猪业环境的外溢性所带来的社会效益。CVM 的规范性和完善性已为前人的研究所证明（彭希哲和田文华，2003），因此，将运用该方法，以武汉市养猪业治理作为研究对象，运用 CVM 来计量养猪户（场）为猪场环境质量改善的支付意愿。

第一阶段调查共发放问卷 400 份，排除一些具有明显错误的问卷，回收有效问卷 254 份，回收有效率为 63.5%。

第二阶段研究的目的是检验第一阶段得出结论的外部效度，即全国其他生猪主产区的养猪业生态产业链耦合因素是否与武汉市一致，研究结论能否推广到全国。为了检验外部效度，研究团队于 2012 年 6~9 月运用参与式农村评估法（PRA）对生猪主产区规模养猪户进行实地调查。共选取养猪户相对集中的湖北、河南、广东、广西、江西、天津 6 省份 14 个市（县）30 个行政村的 350 个规模养猪户，剔除无效样本，实际有效样本数为 348 份，有效回收率达 99.4%。样本分布见表 5-2。

表 5-2 全国六省样本分布情况

项目	湖北	广东	天津	江西	广西	河南
市（县）	大悟、枣阳	广州、佛山	蓟县	宜春、高安、丰城、南昌	桂林、南宁、百色	周口、驻马店
样本数	95	50	52	50	51	50
比例/%	27.30	14.37	14.94	14.37	14.66	14.37

2. CVM 问卷设计

CVM 提供重复投标博弈法（iterative biding game）、开放式问卷法（open ended，OE）、支付卡法（payment card，PC）与二分选择法（dichotomous choices，DC）四种核心估值问题的导出技术。开放式问卷法是一种通过问卷直接询问被调查者的最大支付意愿的方法，该方法易于操作，但需要被调查者对评估对象的价值有一定程度的了解；支付卡法提供一组投标值让被调查者从中选择，这种方法容易产生偏差，被调查者往往偏好选择居中的投标值；二分选择法不需要被调查者回答最大支付意愿，只需要表示接受或不接受所提供的投标值，这种方法只获得了被调查者是否愿意支付某一金额的信息，因此需要更大的被调查者量和更为复杂的统计方法来估计平均最大支付意愿。为了避免上述导出技术的缺点，采用重复投标博弈法来询问安全农产品生产户对农业面源污染防控的最大支付意愿，即首先提出一个初始投标值，然后不断提高或降低投标水平，直至引导出他们愿意支付的最大金额为止。CVM 一般有一套固定的工作流程：确定调查对象和调查范围；通过预调查对问卷进行精心设计并完善调查内容；经过 CVM 方法培训后进行问卷调查；收集数据并汇总；建立支付意愿的计量模型；利用统计软件对调查结果统计分析；对统计结果进行有效性检验。其中，以科学的问卷设计、进行高质量的问卷调查以及统计分析中推导平均支付意愿的计量模型构建是最为关键的环节。

设计的问卷涉及三个部分：第一部分，是养猪户的个人特征，包括年龄、教育程度、从事本行业的时间等基本社会信息；第二部分，是养猪户处理猪场污染物的措施以及意识等信息，给回答者回答问题做背景铺垫；第三部分，是评估问卷的核心部分，通过一系列诱导问题，最终引导出养猪户的最大支付意愿，包括支付态度和支付费用。这个问卷通过两次预调查之后经过认真修改最终确定下来。通过多次预调查完善问卷内容，可以增强 CVM 结果的可靠性。问卷引言部分介绍武汉市养猪业当前所面临的环境污染的问题，并简单介绍目前养猪业环境污染治理的主要措施，以便让受访者了解本次调查的主题和背景。

在对养猪户支付意愿的调查中，核心问题是"为减轻猪场环境污染并改善环境质量，需要支付一定的费用，您是否愿意接受?"对这个问题，问卷提供"非常愿意""比较愿意""一般""比较不愿意"和"非常不愿意"五个选项。接下来的问题是"如果您愿意，每年最多支付多少元?"，并采用支付卡技术即提供若干个报价范围供受访者选择。问卷设计是否合理主要体现为与支付意愿有关的问题能否被调查者理解和接受。通过预调查，问卷设计的合理性得到检验。

3. 样本情况分析

（1）第一阶段样本特征

被调查地基本特征。武汉市是我国生猪主产区之一，资源环境日益成为其发展的瓶颈。畜禽粪便排放的大量增加给农村生态环境带来了沉重的压力，并严重影响农业可持续发展。武汉城市圈已于2007年12月获国务院批准，成为全国资源节约型和环境友好型社会建设综合配套改革试验区。解决武汉市养猪业发展与资源环境之间的矛盾成为更加紧迫的课题。武汉市的规模化养猪场主要集中在市辖区、蔡甸区、江夏区、新洲区和黄陂区。目前，武汉市养猪业的环境污染问题日益突出，成为非点源污染的主要来源。养猪户的生产行为及其环境保护意识直接影响到猪场环境，以及养猪业生态产业链的耦合，进而影响到养猪业的可持续发展。

冉春艳（2009）在武汉市养猪业循环经济发展模式的研究中，通过聚类分析将武汉市农业经济生产、面积和用量指标、产值和收入指标以及人口和劳动力指标的实际情况相似的区域归类，并根据各区的实际情况提出各区相应的主导养猪业循环经济发展模式，如表5-3和表5-4所示。

表5-3　各分区种植业、林业、牧业、渔业比重比较　　　单位：%

分区	粮食面积占本区农作物总面积的比重	棉花占本区农作物总面积的比重	油菜占本区农作物总面积的比重	蔬菜占本区农作物总面积的比重	花卉占本区农作物总面积的比重	林业产值占本区农作物总面积的比重	牧（猪）业产值占本区农林牧渔业总产值的比重	渔业产值占本区农林牧渔业总产值的比重
Ⅰ	47.22	2.71	15.62	23.09	0.10	0.80	25.46	14.34
Ⅱ	38.30	6.87	11.58	30.35	0.06	0.74	15.27	15.89

注：Ⅰ区代表江夏区，新洲区，黄陂区；Ⅱ区代表蔡甸区

资料来源：冉春艳，2009

表 5-4　不同类型主导农业经济形式

分区	主导农业经济形式
I	粮—猪
II	粮—菜—渔—猪

注：I区代表江夏区，新洲区，黄陂区；II区代表蔡甸区
资料来源：冉春艳，2009

通过对武汉市农业经济发展指标的测算，可以得出不同区域养猪业循环经济发展模式不同，养猪业生态产业链模式亦不相同，由表 5-4 得知武汉市养猪业生态产业链模式大致可划分为"粮—猪"（I区）和"粮—菜—渔—猪"（II区）两大类。

受访养猪户的个人特征。采用卡平方（Chi-square）对所调查样本的养猪户的个人基本特征变量与其生态型养猪场的选择的差异性进行检验，从检验结果（表 5-5）可以看出养猪户的性别特征变量、年龄特征变量、文化程度特征变量、从事本行业的时间变量等因素均在组内呈现显著差异（$P<0.05$），这种差异符合研究需要，有利于分析养猪户的个人特征差异对养猪业生态产业链构建的影响。

被调查的有效样本中，男性占 63%（160 户），女性占 37%（94 户）。这反映出当前规模猪场的发展多为男性参与其中，而女性则承担种地、家务等其他劳动，因此参与规模猪场的发展较少。从年龄结构来看，样本养猪户多为 40～49 岁，有 100 户，占全部样本的 39.37%；另外，30 岁以下，30～39 岁、50～59 岁、60 岁以上分别占 4.72%、28.35%、24.42% 和 3.15%，即主要是中青年农户在从事规模养猪。规模养猪所需的技术和信息渠道更多更复杂，需要耗费更多的人力和物力，风险也较大，因此主要是素质高、能力强，尤其学习能力、市场把握能力强的中青年农户投身其中。

表 5-5　武汉市养猪户的个人特征

特征类别	特征描述	频次	卡平方值（P 值）
性别	男	160（63%）	9.956（0.002）
$N=254$	女	94（37%）	
	<30	12（4.72%）	51.819（0.044）
	30～39	72（28.35%）	
年龄/岁	40～49	100（39.37%）	
$N=254$	50～59	62（24.41%）	
	>60	8（3.15%）	

特征类别	特征描述	频次	卡平方值（P值）
文化程度 N=254	文盲	14（5.51%）	15.596（0.007）
	小学	60（23.62%）	
	初中	86（33.86%）	
	高中或中专	47（18.5%）	
	大专	24（9.45%）	
	本科及以上	23（9.06%）	
从事养殖业的时间/年 N=254	<3	162（63.78%）	20.584（0.011）
	4～7	68（26.77%）	
	>8	24（9.45%）	

注：P值为95%的置信度下的单侧检验。以上变量P值均小于0.05，即均具有显著性

从文化程度来看，规模型猪场的养猪户的学历多为初中，占全体样本的33.86%，其他层次即文盲、小学、初中、高中或中专、大专及以上的养猪户分别占5.51%、23.62%、18.5%、9.45%和9.06%。从从事养殖业的时间来看，规模型养猪场的场主多为3年以下，这与近年来规模型养猪场的发展是一致的，这部分人往往具有创业意识，能及时根据市场变化和政策机遇，走出传统的散养模式。而从事养殖业4～7年和8年以上的相对较少，分别占26.77%和9.45%，原因可能与农户长期散养，对规模型养猪模式认识不够、技术掌握不够、市场信息匮乏或不愿冒风险有关。

（2）第二阶段样本特征

受访养猪户的个人特征。统计结果表明，在调查的样本养猪户中，男性占81.1%，女性只有18.6%，这反映出在养猪业中，主要是男性进行生产经营。另外，40岁以下的养猪户占样本总量的27.6%，40～49岁的养猪户占47.7%，50岁以上的养猪户占24.6%；学历在初中及以下水平的养猪户占样本总量的61.2%，高中及大专占30.3%，本科及以上学历占8.4%，这反映出中年农户所占比例较大，总体学历水平偏低。

5.3.2 统计分析

1. 规模型猪场的经营情况

（1）投入品来源

规模养猪场除了每年因具体需求而变化种猪（仔猪）投入外，其他的还

有饲料、技术以及资金等。投入品是养猪场发展的源头，其来源渠道很大程度上影响了猪场发展的轨迹，具有导向性影响。此外，如市场价格不稳、环保压力等也是规模型猪场经营发展普遍面临的风险。

表5-6　武汉市规模型猪场的投入品来源渠道统计　　单位：家

投入品来源	具体含义	数量（比例）	投入品来源	具体含义	数量（比例）
饲料来源渠道	全部购买	65（26%）	技术来源	自学	102（40%）
	全部自配	142（56%）		推广机构等	193（76%）
	购买饲料再自配	35（14%）		其他养殖户	179（70%）
	其他	12（5%）		亲戚朋友	210（83%）
资金来源渠道	自筹	156（61%）		科研院所	150（59%）
	向亲戚朋友借款	121（48%）		畜牧兽医站	162（64%）
	享受专项保险	46（18%）			
	享受国家补贴	42（17%）			
	贴息贷款	69（27%）			

调查结果表明（表5-6），在所调查的254家养猪户中，所用饲料完全从外部购买的有65家，全部自配的有142家，购买饲料①再自配的只有35家（质量状况、供应稳定性和交易成本方面明显优于其他渠道）。这表明，被调查对象的饲料来源绝大部分为自行配制和外部自由采购，存在较大的质量安全隐患。而在技术来源渠道的统计分析中，养猪户的技术来源最多的途径是靠亲戚朋友的指导，为83%，靠其他养殖户指导的占70%，而科研院所、畜牧兽医站、技术推广机构分别占了59%、64%和76%，但都不是最高的比例。亲戚朋友以及其他养殖户毕竟不是专业人员，所以在技术的传递过程中很可能造成技术使用不当，从而形成更大的损失。在实际调查中也了解到规模养猪的专业化人员，如科研人员、兽医站人员、技术推广人员深入农村进行科技服务的较少，规模养猪户到这些专业化机构学习的则更少，服务渠道不畅通以及咨询服务的费用较高，使得规模养猪户很少使用这些资源。在资金来源渠道的统计分析中，规模型养猪场生产及扩大再生产的资金来源采取自筹和向亲戚朋友借两种方式的占多数，比例分别为61%和48%，而采取专项保险、国家补贴和财政贴息贷款的市场和政策性服务的分别只占18%、17%和27%。猪的生产不同于一般商品，它的生产周期较长，资金流转慢，回收期长，因此只采取自筹和向亲戚朋友借两种方式的猪场在扩大再生产时所需的各类物资不能

①　根据不同猪品种的营养需要和预混料质量，如以购买添加剂原料自配和购买商品添加剂预混料比较，每吨可节省1000~3000元（http：//www.china-ah.com/news/2005/04/08/12332.html）。

保证及时到位，猪场的发展受到极大的阻碍。这也与农村小额信贷等金融服务的不健全以及规模养猪户对政策的掌握不全有关。

(2) 风险因素

调查结果表明（表5-7），普遍认为规模型养猪场在发展过程中最大的风险是疫病风险（57.48%），其次是市场价格不稳带来的风险（46.85%），排在第三位的是饲料成本高带来的风险（44.49%）。当前，养猪业的疾病风险增大，防控体系建设不足。最近几年，全国各地生猪疫情不断发生，特别是2006年4月份，全国爆发高致病性蓝耳病，从江西首例发生到全国泛滥，仅仅几个月时间，而研究机构用一年左右的时间尚不能确定疫病性质，曾将其定为"无名高热"病，这也说明防控体系建设不足（生猪产业发展问题及对策，2009）。从风险的角度来看，养猪户亟待解决的问题是，疫病风险和市场风险的有效防范与控制，以及高质量投入品的稳定供应。

表5-7　养殖遇到的最大困难（有交叉选项）

项目	饲料成本高	疫病风险大	缺乏养猪技术	市场价格不稳	贷款困难	政策支持不够	环保压力大
个数/个	113	146	53	119	35	21	37
比例/%	44.49	57.48	20.87	46.85	13.78	8.27	14.57

2. 认知及处理现状

(1) 养猪场对其带来的污染影响的认识

调查结果显示（表5-8），养猪户对其带来的污染方面的了解程度依次是"水体污染（62.20%）>大气污染（42.13%）>人畜共患传染病（20.08%）>猪舍环境污染（15.35%）>土壤污染（13.78%）>噪声污染（0.79%）"。这种比例说明养猪户对目前所造成的污染有一定的认识，但比例都相对较低。尤其是"土壤污染"方面，只有13.78%，而实际上猪场所排的粪污含有大量的氮和磷，据测算，一个年产5000头猪的养猪场，每年至少向周围排污1.5万吨粪污，大约相当于向周围排放54吨氮和15吨磷（舒邓群等，2001），直接排放会对土壤造成严重的危害。这一方面是因为规模养猪户的学历低，相关知识匮乏，另一方面也与政府以及社会对规模养猪污染的宣传不够、政策体系不完善，对养猪业生态产业链的提倡和扶持力度不够等一系列制度因素有关。

表5-8 养猪场对其带来的污染影响的认识（有交叉选项）

项目	土壤污染	水体污染	大气污染	猪舍环境污染	噪声污染	人畜共患病传染
个数/个	35	158	107	39	2	51
比例/%	13.78	62.20	42.13	15.35	0.79	20.08

（2）养猪场对污染物的处理方式现状

从所调查的数据来看（表5-9），猪场对粪污的处理方式较多，较为分散，原因是各地的自然条件、经济条件不同，环境容量不同，猪场的规模大小不同，因此粪污处理不可能采取一种方法、一种模式。然而，数据还显示目前科学的处理粪污方式的比例还太低：采用"发酵床清粪"的仅占5.91%，采用"处理后入农田"和"制沼气"处理污水的也仅分别占14.96%和28.35%。总体来讲，能够采用农业内部产业间的合作来处理猪场污染物从而在农业内部消化掉污染物的方式还不普及，原因是这种方式没有形成一套体系，没有相关的技术支撑。

表5-9 养猪场对污染物的处理方式

项目1	清粪方式				
	干清粪	水冲粪	水泡粪	发酵床	其他
个数/个	63	100	63	13	15
比例/%	24.80	39.37	24.80	5.12	5.91

项目2	污水去向				
	直接入农田	处理后入农田	卖给养鱼户	排入河道	制沼气
个数/个	46	38	44	54	72
比例/%	18.11	14.96	17.32	21.26	28.35

项目3	固体粪污去向					
	自用施肥	卖给种植户	卖给养鱼户	有机肥厂	制取沼气	其他
个数/个	82	41	27	28	68	9
比例/%	32.28	16.14	10.63	11.02	26.77	3.54

养猪业是一种微利产业，不可能拿出大量资金来处理粪污。各地养猪场应该结合自己的规模和当地自然环境情况，发展具有经济效益、生态效益的模式。国家农业部畜牧业司王俊勋处长曾指出，规模养猪户占我国养猪户的60%以上。也就是说，养猪业的散养比例仍接近40%，而在整个产业链条上，由于散养户的大量存在，中国生猪养殖环节一直十分脆弱。由数据和现状分析可见，在应用上，养猪业生态产业链模式还处于初级阶段，至少距离普及还有很长的路要走。

养猪业生态产业链模式的核心就是种养结合，把猪排放的粪污经过处理还田，其工艺流程（邓良伟，2001）如图 5-2 所示。

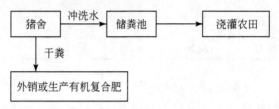

图 5-2　粪污还田模式工艺流程图

资料来源：邓良伟（2001）

对农业生产来讲，无论是过去、现在和将来畜禽粪便都是一种优质的有机肥源（董克虞，1998），养猪业生态产业链模式既可以有效地处理污染物，又能将其中有用的营养成分循环于土壤—植物生态系统中。在美国这样发达的国家，其规模化猪场粪污处理，大多是采用的这种处置方法（邓良伟，2001），而且猪的粪尿中的有机肥要素含量折合成化肥后的数量相当可观，见表 5-10。

表 5-10　万头猪一年粪尿排泄量　　　　　　　　　单位：吨

猪的排泄量	粪尿中三要素含量			折合化肥数量		
	N	P	K	硫胺	过磷酸钙	硫酸钾
18 300	75.3	42.1	137.3	377	232	275

资料来源：董克虞（1998）

但是由于规模型养猪场在我国还处于快速发展阶段，养猪业生态产业链模式（"猪—沼—粮"、"猪—沼—鱼"、"猪—沼—果"、"猪—沼—菜"等）在我国的发展更是处于起步阶段，因此其社会认知度较低，政府推广和扶持力度也低，规模养猪户对此模式的采用率则更低。

3. 环境改善支付意愿

（1）对猪场环境污染治理支付意愿的总体判断

从问卷统计结果来看（图 5-3），受访者对养殖场环境污染的治理态度，分别有 5.9% 与 43.7% 的受访者表示"非常愿意交"和"比较愿意交"，35.4% 的受访者表示"一般"，10.3% 和 4.7% 的受访者表示"比较不愿意"和"非常不愿意"。这表明多数养猪户（场）（49.6%）愿意为猪场及周围环境的改善支付一定的费用，但养猪户（场）作为一个利益追求者或企业存在于市场中，是利润最大化的追求者，如果支付的费用过高以致直接影响到正常利润，那么养猪户（场）就缺乏动力继续为猪场及周围环境的改善支付费用，猪场环境最终还会遭到破坏。显然若了解养猪户（场）愿意为猪场环境质量改善支付费用的金额，那么政府可据此作为治理猪场环境污染的重要依据来实施环境费用补贴或其他政策，也就是政府出台的环境治理措施要考虑养猪户对正常利润的合理追求。同时，有35.4%的受访者表示"一般"，意思是"可交可不交，看看其他养殖户的态度"等观望的态度，这表明如何让利益相关者为污染治理支付适当的费用也是值得考虑的一个问题。

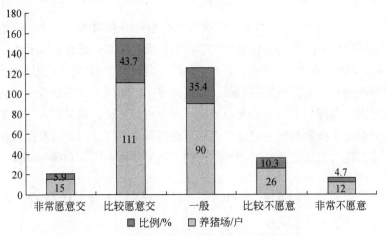

图 5-3　受访者环境污染治理付费意愿的总体判断

（2）对猪场环境污染治理 WTP 的测算

通过查阅《武汉市 2007 年农业年鉴》，可以得知 2007 年武汉市中小型规模（50~2999 头）养猪场的个数为 3573 家，因 2008 年武汉市中小型规模养猪场变化不大，本书采用这一数字，并根据 $N=3753 \times p$ 这一公式计算出各类样本满足该支付意愿范围的总人数（N）。则各类样本的支付费用=平均值×N，具体计算结果如表 5-11 所示。

表 5-11　养猪户（场）对猪场环境质量改善的支付意愿

范围/元	平均值	N	p/%	N	支付费用/元
100 以下	50	14	6.64	237	11 862
101~200	150	110	52.13	1863	279 391
201~300	250	39	18.48	491	122 733
301~400	350	29	13.74	491	171 826

范围/元	平均值	N	$p/\%$	N	支付费用/元
401~500	450	7	3.32	119	53 381
500 以上	600	12	5.69	203	121 982
总计		211 **	100	3 573 *	761 174

　　** 为此部分调查的有效样本数；* 为 2007 武汉市养猪规模为 50~2999 头的养猪户（场）的个数，数据来源于《武汉市 2007 年农业年鉴》；n 为有效调查样本数；p 为该类样本占总调查样本数的比例；N 为各类样本满足该支付意愿范围的总人数

　　表 5-11 计算得出的结果显示武汉市中小型规模养猪场的养猪户愿意为改善猪场环境质量一年总共的支付费用为 761 174 元。从以上数据可以看出，支付意愿为 100~400 元的有 84.35%，而大于 400 元的只有 9.01%。这说明大多数养猪户对猪场改善环境的支付意愿较低，根据调查中的访谈，本书认为主要有以下几个方面原因：养猪户的基本情况有差别、环保意识不强、猪场收入不高等。因此社会各界都要积极参与到环境保护宣传与行动落实中，从而提高我国公民的环保意识，使公民清楚认识到环境保护的价值，进而整体上提高我国的环保水平。

5.4　模型估计结果、外部效度检验与结论

5.4.1　模型估计结果及分析说明

1. 模型估计结果

　　运用 SPSS 16.0 统计软件进行分析，并采用"向后筛选"的处理方法，即将所有解释变量引入回归方程，进行模拟计量，然后将 Wald 值最小的解释变量剔除，再进行回归，直到所有的解释变量均达到显著水平为止，最终得到初始模型结果和去除掉不显著的变量后的模型结果。从 Wald 检验值和解释变量显著性来看，模型二的显著性明显优于模型一，因此本章以模型二的结果分析为主，模型有效样本为 235 个，缺失 19 个，总体来讲缺失比例不大（表 5-12~表 5-14）。

表 5-12　模型观测量简表

项目	N	比例/%
已经选定的案例	235	92.5
缺失案例	19	7.5
未选定的案例	0	0
总计	254	100

表 5-13　第一阶段模型估计结果一

	影响因素	B	S. E.	Wald	df	Sig.	Exp（B）
Step 1	环保支付意愿	0.003	0.002	3.765	1	0.052	1.003
	性别	0.76	0.358	4.512	1	0.034	0.468
	年龄	0.023	0.021	1.171	1	0.279	1.024
	从事本行业时间	−0.203	0.066	9.459	1	0.002	0.816
	受教育年数	0.022	0.051	0.183	1	0.669	0.978
	收入	0.053	0.035	2.251	1	0.134	1.054
	是否被指导	1.583	0.362	19.093	1	0.000	4.872
	技术来源	2.225	0.663	11.26	1	0.001	0.108
	是否财政贴息	−0.031	0.363	0.007	1	0.932	0.969
	对猪场污染物的认识	−0.101	0.357	0.08	1	0.777	0.904
	Constant	1.271	1.344	0.895	1	0.344	3.565

注：−2Log likelihood 值为 229.008，Cox & Snell R^2 值为 0.265，Nagelkerke R^2 值为 0.367；Percentage Corrcet 值为 73.6%

表 5-14　第一阶段模型估计结果二

	影响因素	B	S. E.	Wald	df	Sig.	Exp（B）
Step 1	环保支付意愿	0.003	0.002	4.996	1	0.025	1.003
	性别	0.751	0.355	4.481	1	0.034	0.472
	从事本行业时间	−0.199	0.066	9.108	1	0.003	0.819
	收入	0.051	0.034	2.253	1	0.133	1.052
	是否被指导	1.597	0.348	21.084	1	0.000	4.937
	技术来源	2.173	0.641	11.474	1	0.001	0.114
	Constant	1.904	0.726	6.881	1	0.009	6.71

注：−2Log likelihood 值为 230.844，Cox & Snell R^2 值为 0.259，Nagelkerke R^2 值为 0.359；Percentage Corrcet 值为 74.5%

2. 结果分析

（1）养猪户特征变量的影响分析

养猪户的性别以及从事本行业的时间长短对其是否采用养猪业生态产业链模式具有十分重要的影响。模型的估计结果表明，受访者为男性的养猪户比女性要更倾向于采用养猪生态产业链模式，原因大概是男性的创新意识较强，承担"试错成本"的心理承受压力也较强。而根据宋军等（1998）的研究，在对农技的选择上,男性更愿意选择新品种方面的技术,而女性更愿意选择节约劳动力节约型的技术。如果把养猪业生态产业链模式看成众多养猪模式的一个新的"品种",正好对此加以解释。养猪户从事本行业的时间是影响其是否采用生态产业链模式的因素之一,但系数为负,说明从事养殖业时间越长的养猪户,越不愿意采用生态产业链养猪模式,进一步反映他们从事养猪业时间越长,越不愿意治理猪场污染、改善猪场环境质量,原因则是与其对猪场污染环境的现状"见怪不怪"的群体无意识心理,或者是习得性行为路径依赖心理,以及普遍熟知的环境"搭便车"外部化行为有关。

(2)猪场经营特征变量的影响分析

规模猪场的收入水平高低对其是否选用生态产业链模式具有一定的影响。规模猪场的收入水平越高,则养猪户越愿意采用生态产业链模式。虽然在此模型中,估计结果并没有达到较高的显著性(0.133),但也具有一定的影响。而且实际访谈的情况表明,在其他条件不变的情况下,猪场的收入水平越高,养猪户支付能力越强,长期经营与可持续发展的意识也越强,因而对改善猪场环境的积极性就越高,也就更愿意采用有利于可持续发展的养猪模式。

(3)政策引导特征变量的影响分析

政策引导尤其是指导建立、给予技术支撑等服务,是养猪户(场)选择采用生态产业链模式的重要促进因素。模型估计结果表明,在政策引导变量中是否被指导建立养猪业生态产业链模式和技术来源变量均非常显著(0.000和0.001),而且系数均为正(1.597和2713)。说明当前的情况下,政府的政策引导、技术支撑体系的建立对养猪业生态产业链模式的推广具有重要的作用,因而政府应对未采用或不愿意采用生态产业链模式的养猪户(场)给予更多的政策引导以及技术支持。而模型的估计结果还表明,养猪户(场)是否获得政府的财政贴息补助这一变量并不显著,这与政府希望通过贴息补助的方式来增强养猪户(场)对新技术的接受意愿显然是不相符合的,可能是在政策的执行过程中产生了问题,没有达到预期效果。访谈调查中,也有不少养猪户反映政府的补助到他们这里往往就非常少了,对此不抱希望。这些问题都值得进一步思考。事实上,不断加强、改进农业金融与政策性保险等方面的支持是目前国际上农业政府支持与保护的共同之处,值得研究与借鉴(邓启明,2007)。

(4)生态意识变量的影响分析

改善环境的支付意愿高低对其是否采用养猪业生态产业链模式具有十分重要的影响。模型的估计结果表明,养猪户的环保支付意愿值越高则越愿意采用生态产业链模式,这个原因显而易见,养猪业生态产业链模式就是摒弃了传统的养猪理念，以环境的可承载能力为前提，最终能实现生态效益和经济效益的统一，因而环保意识较高且环保支付意愿高的养猪户大多非常乐意接受这种模式。改善环境的支付意愿是对环境价值的一种深层次认识和认可，这说明改善环境的效用要远大于养猪户将同样数量的钱用于其他方面产生的效用，有了这一心理层面的推动力量，规模养猪户更愿采用生态产业链模式。

（5）不显著变量的原因分析

养猪户的年龄、受教育程度以及是否获得政府贴息补助、是否听过生态养殖等变量对其是否采用生态产业链模式的影响并不显著。尽管有研究表明，农户的年龄对农户新技术选择行为的影响是可正可负的，对不同的技术选择影响有所不同（Doss and Motris，2001；宋军和胡瑞法，1998）。宋军等（1998）的研究更为具体：年龄大的农户相对于年纪轻的农户往往更愿意选择节约资金的技术，年纪轻的农户相对于年龄大的农户却往往愿意选择节约劳动力的技术。而从模型估计的结果来看，以上所列的变量均不显著，这说明它们对养猪户采用生态产业链模式的影响很小。而从受教育程度来看，与人们的预期（从经验来看，农户受教育程度越高则越愿意接受新技术）相反。其中可能的原因是针对性的知识传播得不好。而"是否听说过生态养殖"这一变量亦不显著，则更印证了前面的解释。另外，养猪业生态产业链模式如果没有获得政府政策的支持，以及相关的技术和资金上的支持，其经济效益是不明显的，在需要通过养猪来获得经济收入进而养家致富的农户中，没有经济动因是很难推动他们长期使用此模式的，而在他们考虑采用生态产业链模式与否时，年龄、受教育程度甚至有无听说过生态养猪以及是否掌握生态养猪的知识和技术等因素都在权衡范围之外。更具体、更深入、更全面的解释有待进一步的研究调查。

5.4.2　外部效度检验

运用 SPSS 17.0 统计软件对 12 年全国六省的数据进行分析，同样采用"向后筛选"的数据处理方法，最终得到的结果如表 5-15 所示。

表 5-15　第二阶段模型估计结果

影响因素		B	S. E.	Wald	df	Sig.	Exp（B）
养猪户特征	从事本行业时间	0.149	0.046	10.750	1	0.001	1.161
制度驱动	是否评价	1.215	0.046	8.810	1	0.003	3.370

影响因素		B	S. E.	Wald	df	Sig.	Exp（B）
生态意识	考虑质量安全	0.392	0.179	4.779	1	0.029	1.480
	是否治污	3.364	0.669	25.298	1	0.000	28.906
	是否有沼气池	2.267	0.494	21.060	1	0.000	9.654

注：－2Log likelihood 值为 275.846，Cox & Snell R^2 值为 0.266，Nagelkerke R^2 值为 0.386；Percentage Corrcet 值为 82.2%

由表 5-15 可知，养猪户特征中从事本行业时间在两次数据分析中影响方向相反，也就是说，不同情况下从业时间对养猪户是否采取生态模式影响不一。制度驱动方面，有关部门的审批在很大程度上能监督养猪户的环境污染状况，进而促进养猪户采取生态模式。市场驱动方面，由于不同出栏时间猪肉价格不一致，并且现阶段没有一套完整的有机产品认证与追踪体系，生态养猪的市场效益还是不能完全体现，这也解释了其在本次数据分析中不显著的原因；然而第一阶段武汉市的数据显示养猪收入是显著影响其生态产业链模式采用与否的，即两阶段的数据分析结果有不一致的地方。内部驱动方面，本次调查发现，养猪户与其周边的农户合作不深入，更不涉及风险共担与利益共享等方面，数据分析结果也证实这种合作关系对养猪户是否采用生态产业链模式无显著影响。生态意识方面，与武汉市数据分析结果一致，即生态意识显著影响其生态模式的采用，越能意识到生态的重要性以及对生态越重视，其采用生态模式的概率越大。

两阶段的数据分析结果有一定的差别，但是制度驱动与生态意识方面的结果吻合。由于市场体系不完善，后一阶段的市场驱动因素在分析结果中不显著，但这是研究设计之外不可操控的因素，因此也不能说明本研究设计的效度不高。另外，对养猪业的从业时间的影响方向而言，不同的情景下其方向有可能是相左的。总之，再次抽样的数据显示，本书相关研究的外部效度还是比较好的，研究结果可以在一定程度上反映全国养猪业生态产业链耦合的影响因素。

5.4.3 主要结论与政策含义

1. 主要结论

第一，描述性统计分析表明，规模型养猪场的投入品除因需求而变化的种猪（仔猪）外，主要还有饲料、技术和资金。然而通过对这三种投入品来源

养猪业循环经济与实践生态产业链理论

的渠道进行分析，发现饲料来源渠道不优化，存在较大的质量安全隐患；技术来源渠道最多的为非官方渠道，这很容易造成技术传播过程中的扭曲。另外，也说明政府应该着重建设农业技术推广体系，了解农户所需，及时把技术传播下去。资金来源渠道依靠自筹的比例过高，一旦发生资金链的断裂，将直接影响猪场的发展。此外，目前猪场的发展面临着疾病侵袭、市场波动、成本过高等多方面风险，使得猪场采用生态产业链模式时更加谨慎。总之，规模型养猪场投入品的供给渠道不畅，发展风险过大，使其对养猪业生态产业链的耦合起到了非常大的阻碍作用。有研究表明，养猪业排放的粪便、废水及其产生臭气的污染程度及问题的严重性受规模大小、地理位置、地形地势、生产方式、粪便废水处理措施、废弃物管理办法、周围民众生活水平和环保意识等影响（汪道峰和廖新俤，2003）。调查数据显示，猪场场主对养猪带来的环境污染影响有一定的认识，但显然认识还不够，直接影响了其环保意识，也直接影响了其发展建立养猪业生态产业链的意愿。目前，养猪户对污染物的处理现状呈现出多样化，但生态产业链模式的使用甚少。鉴于实际情况，政府应采取政策加以引导，提供技术、资金加以扶持，使其污染物的处理方式更加优化，进而促进养猪业生态产业链的耦合。

第二，对养猪户改善环境支付意愿的测算结果表明，养猪户对猪场环境质量的改善意愿不高，35.4%的养猪户都对环境污染治理和改善付费持"一般"的态度，即表示"看看其他人的做法"，而最终测算的结果也仅为761 174元/年，远远低于实际需求值。产生养猪业资源环境问题的制度原因是经济理性与生态理性相悖导致的环境外部性，而解决养猪业环境问题的关键是要建立环境外部性行为内部化的激励机制。当下最重要的就是评价养猪业环境行为社会经济效益并提高养猪户为环境改善的支付意愿，这是政府出台科学而有效的环境治理政策的依据。环境价值得到认可，是养猪业生态产业链耦合并可持续发展的保障。

第三，计量经济模型的结果表明，影响养猪户选用生态产业链模式的主要因素有养猪户的性别、从事本行业的时间、环保支付意愿、猪场收入、政策引导、技术来源等变量因素，而且不同因素的影响程度和显著性也不尽相同。从事规模养猪业时间越短、猪场收入越高，有政策引导和技术来源且环保支付意愿越高的男性养猪户采纳生态产业链模式的越多，养猪业生态产业链耦合得也越好，所得到的结果基本符合预期假设以及前期研究。从养猪户的视角可以把这些因素分为内部因素和外部因素，内部因素包括养猪户的特征变量及其生态意识，以及猪场的经营特征，外部因素则是政府政策环境。养猪户是否采用生态产业链模式受到自身特征因素和外部环境因素的共同影响。但本书认为其他不显著的变量未能在模型中反映，也可能是由于受到调查条件的限制，而这些是值得进一步研究的问题。

2. 政策含义

1）通过外部激励尤其是示范教育及宣传来提升养猪户环保意识，进而促进养猪业生态产业链的耦合。政府在调整和制定养猪业改善环境的相关政策时，应综合考虑政策激励的外因效应与提高养猪户支付能力的内因效应。从外部来说，尽量对养猪户加强教育和宣传，同时加强监督与管理，不断提高养猪户环境意识和科学发展的理念；从内部来说，应加强养猪户的生态养猪专业化培训与推广，提高养猪户健康养殖水平，使其不断提高养殖效益和支付能力。此外，研究结果也表明养猪户的支付态度会受其他养猪户示范作用影响。因此，政府一定要做好示范、扶持与激励工作，要让那些养殖时间长、文化程度高、收入高的养猪大户起模范带头作用，这部分养猪户常常是养猪业的带头人，也是行业意见领袖，他们的行为往往会影响和带动周围人的群体行为，对提高猪场污染治理和改善起到更大的引导作用。

2）提高养猪户（场）环境质量改善的支付意愿以及猪场的经济收入有助于养猪业生态产业链耦合。规模型猪场的运营同市场中的企业一样，都要追求经济利润。而在经济利润都得不到保证的情况下，让其为环保"付费"，尝试以生态为核心的生态产业链模式，显然是不现实的。所以，政府治理猪场污染的关键点就是要保证养猪户的猪场能够得到足够利益补偿。除了对法律法规加大宣传外，更主要的是要采取经济和市场化管理的手段，积极出台激励措施，给治理环境污染行为进行经济补偿，减少养猪户的投入与运行成本，提高他们的养猪效益，从而真正保护和调动他们内在的生态养猪积极性，进而达到生态产业链的耦合与可持续发展。

3）有力的政策引导以及技术支持是促进养猪业生态产业链耦合的重要因素之一。养猪业是关乎国计民生的产业，是一种不能完全市场化的特殊产业，原因在于：其一，养猪业受不可控的因素影响很大，特别是瘟疫的影响，如"猪流感"疫情，目前仍没有可靠的预防办法，养猪户甚至是养猪企业都难以单独承担这些风险；其二，养猪的生态环境具有公共外部性，规模型猪场对生态环境的破坏主要来源于其本身，但也可能来源于其他产业；其三，当前生态养猪等养猪业生态产业链模式在我国尚不成熟，理论上的效益在实践中无法体现或体现得不明显。政府在养猪业生态产业链的构建和其耦合发展中不能放任自流，不能任凭市场经济去操纵，应该起到一定的引导作用以及技术支撑作用。

而从宏观的角度而言，政府不应该把视角停留在养猪业循环经济的发展模式上，而是放眼到整个农业循环经济的发展模式，甚至是社会循环经济的发展模式。这是因为养猪业生态产业链发展模式是存在于整个农业系统乃至整个社会系统中的，因而其耦合也一定会受到整个农业资源环境甚至社会资源环境的影响和约束。而这一影响带来的负面作用就需要政府去解决，这一约束也需要政府去调节。养猪业生态产业链模式实际上是循环经济理念在农业生产领域的延伸和运用。养猪业生态产业链耦合必须考虑既定的农业资源存量、环境容量以及生态阈值综合约束，必须从节约农业资源、保护生态环境和提高经济效益的角度出发。因而，政府应从整个农业系统循环的角度，以建立养猪业生态产业链为契机，进一步建立农业生态产业链，而且要与工业、第三产业构成"大循环"系统，以形成物质能量循环利用的闭环农业生产系统。

5.5 结 论

本章对养猪业生态产业链耦合的影响因素进行了实证研究。对武汉市中小型规模养猪场进行调查的数据依次进行了统计分析和计量经济分析，得出一些有益的结论。通过条件价值法（CVM）对养猪户改善猪场环境的支付意愿进行的测量，得到武汉市中小型（50～2999头）养猪户总的环保支付意愿为761 174元/年，这个结果反映了武汉市中小型养猪户对环境价值有一定的认识，但认识不足，从而不能很好地推动养猪业生态产业链的耦合。进一步的，本书通过 logistic 计量模型得到养猪业生态产业链的耦合的显著影响因素为养猪户的性别、从事本行业的时间、环境改善支付意愿、猪场收入水平等。从事规模养猪业越短、猪场收入越高、有政策引导和技术来源且环保支付意愿越高的男性养猪户采纳生态产业链模式的越多，养猪业生态产业链耦合得也越好。最后基于研究结论提出有针对性的政策建议，以促进养猪业生态产业链的耦合。

第 6 章
养猪业生态产业链绩效评价指标
体系构建

养猪业生态产业链是实施循环经济的有效载体。而养猪业生态产业链绩效评价指标体系的建立将帮助人们更好地认识产业链发展对社会以及生态环境的影响，并找出问题给予改进，进而实现养猪业生态产业链的可持续发展。鉴于此，本章在共生理论、利益相关者理论、可持续发展理论、产业生态学、经济学等交叉学科的基础上构建了"节点企业经济绩效-社会绩效-环境绩效"的三维评价模型，并选取相应指标建立了评价指标体系；然后介绍了基于专家评分法和层次分析法设置各指标权重的具体步骤；最后采用线性加权法构建了养猪业生态产业链综合绩效评价值的计算模型。

6.1　养猪业生态产业链绩效评价指标体系设计

6.1.1　养猪业生态产业链绩效评价的必要性

养猪业生态产业链共生绩效评价是共生理论与共生模式的具体化，是生态产业链主体生产经营行为的指挥棒和监督器。将循环经济生态产业链嵌入共生绩效评价理论中，实现与共生绩效评价理论的全面结合，从理论上解决共生绩效评价与生态产业链相脱节的问题，将增强共生绩效评价理论的科学性、完整性和系统性。建立基于循环经济的养猪业生态产业链的共生绩效评价理论与方法体系，将从理论和方法上激励和引导相关利益者有动力将循环经济贯彻落实到养猪业生产经营的全过程，为养猪业生态产业链创造可持续发展的价值，促进经济效益、社会效益和环境效益的有机统一。

从国内外发展状况来看，绩效评价呈现出财务绩效与非财务绩效相结合、经济绩效与社会绩效以及环境绩效相结合的发展趋势。但是，目前我国的大多数绩效评价体系仍然侧重于对经济绩效的评价，无法全面地反映经济、生态、社会三个方面绩效价值创造的协调性和持续性（温素彬和薛恒新，2005）。不少学者（叶谦吉和罗必良，1988；程序，2006）都揭示了我国片面强调短期经济效益而忽视长期环境效益和社会效益所导致的农业资源环境恶化和生态系统有序性破坏所产生的负效应。因此，研究制定一套"三个效益"统一的共生绩效评价体系，将为养猪业生态产业链绩效评价的实施奠定理论基础和方法保障。

6.1.2　养猪业生态产业链绩效评价的现状分析

国际上绩效评价的理论的形成主要分三个阶段：第一，以财务指标为核心的阶段。其中的典型代表有20世纪20年代，亚历山大·沃尔（Alexander Wall）提出的以财务指标为核心的企业绩效评价理论和方法。20世纪40年代杜邦公司的财务主管唐纳森·布朗（Dolnason Brown）创立的至今仍被广泛运用的杜邦财务分析系统。

第二，强调非财务指标的平衡阶段。其中的典型代表有克罗斯和林奇的业绩金字塔、卡普兰和诺顿的平衡记分卡体系等。1992年，卡普兰（Kaplan）和诺顿（Norton）提出平衡记分卡法（balanced score card，BSC），最大的贡献在于它引入了非财务评价指标，从而克服了单纯利用财务手段进行绩效管理的局限，但它忽视了社会责任指标。

第三，强调社会责任的综合阶段。2002年尼利（Neely）提出全面绩效衡量的三棱柱结构，它包括利益相关者的满意、贡献、战略、流程、能力五个层面共同构成的一个绩效衡量的三维体系。这个绩效评价指标体系虽然非常全面，但也存在着非财务指标难以计量且精确度不高的问题。

我国学习借鉴国外绩效指标体系和方法，绩效评价得到了极大的改进。绩效评价指标体系的设置逐步突破单一财务指标体系的范畴，涉及许多非经济性指标。冯丽霞（2002）以 EVA（economic value added）作为业绩评价指标体系的核心指标，建立一个业绩金字塔形的业绩评价系统。刘巧芹（2004）利用经济利润模型（economic profit model）分析价值创造动因，从而构建基于"价值"创造的业绩评价指标体系。王爱华和景好东（2000）按照可持续发展要求，建立由环境效益、经济效益、社会效益所构成的企业可持续发展指标体系。温素彬和薛恒新（2005）应科学发展观的要求，构建企业三重绩效模式，从经济、社会、生态三个方面设计了企业绩效评价指标体系。徐光华（2007）运用共生理论建立时钟绩效评价模型，分别从经营绩效、财务绩效和社会绩效三个维度研究共生战略绩效评价体系。刘宁等（2008）运用主成分分析法对产业共生系统的生态效率进行了实证研究，建立了针对生态园区的生态效益评价指标体系，分别包括总体层、系统层、特征层、指标层四个等级。

为推动我国绩效评价体系与国际接轨，探索市场经济条件下政府间接管理企业的有效方法，促进企业激励机制和约束机制的健全和发展，2004 年 8 月 30 日国家质量监督检验检疫总局和国家标准化管理委员会联合发布《卓越绩效评价准则》GB/T 19580—2004 国家标准。

综上所述，国内外学者及政府组织从不同角度对相关问题进行了深入且非常有益的探索，从而为问题的研究提供了大量可借鉴的理论与方法支撑。但是，当前我国绩效评价的主流仍然是以经济利益为主的绩效评价模式，没有考虑生态成本和社会成本。

6.1.3 养猪业生态产业链绩效评价总体要求

根据养猪业生态产业链的发展状况和产业链相关利益主体的利益要求，要全面、客观、准确、科学地对养猪业生态产业链进行评价，使评价结果能为政府制定和完善相关政策提供依据，应当符合以下总体要求。

1. 评价要从养猪业生态产业链实际出发

养猪业生态产业链是实现养猪业产业化经营的物质载体，规模化是当前我国养猪业的发展趋势，由于受土地流转难、规模化养猪融资难、养猪专业人才匮乏等因素制约，目前我国养猪业生态产业链尚处于起步阶段，正处于由间歇共生向连续共生的转变之中（Zou and Sun，2009）。在一段时间内，养猪企业与附近农户的合作为间歇性的和非连续性的，共生关系容易受市场、政策及外部信息影响，具有不稳定性和随机性，养猪企业与周围农户共同进步，而这依赖于双方的性质和了解程度。同时，由于中国幅员辽阔，南北方气候差异大，导致养猪业生态产业链模式不尽相同，我国养猪业生态产业链呈现出地域特色。因而，对养猪业生态产业链的探讨，应立足于当前生态产业链实际和地区实际。

2. 评价要从系统论出发进行多因素分析

系统论的基本思想就是把所研究和处理的对象当做一个系统，分析系统的结构和功能，研究系统、要素、环境三者的相互关系和变动规律（汤新华，2009）。系统是由要素组成的，将系统论思想运用到养猪业生态产业链评价体系构建上，就是要认识到养猪业生态产业链绩效并不只是受单个因素影响，这要求将养猪业生态产业链作为一个系统，分析影响绩效的各个因素。通过多种方法，甄别出绩效评价关键指标，通过对这些因素的分析，形成对养猪业生态产业链的综合绩效评价。

3. 绩效评价要结合财务评价和非财务评价

财务评价是对企业过去某一段时间内的财务状况和经营状况进行评价，然而养猪业生态产业链的绩效并不仅仅是受财务因素影响，非财务因素，如带动就业人数、增加农民收入情况等也是影响绩效评价的重要因素。只有将财务评价和非财务评价相结合才能对养猪业生态产业链进行全面和客观的评价，才能满足多方利益诉求。

6.1.4 养猪业生态产业链绩效评价模式构建

传统的绩效评价模式始终都是围绕着企业经营业绩和财务业绩两大主题，设计和构建企业业绩评价体系或战略绩效评价体系与框架，都未能真正超越企业经营活动与财务活动的范畴，忽视了企业社会责任这一对企业持续经营和可持续发展极其重要的因素（徐光华，2011）。而随着社会经济的快速发展，环境问题日益突出，特别是对于养猪业而言，其粪污排放量较大且缺乏足够的土地去消纳，粪便处理成本也较高，粪便污染已然成为我国农业面源污染的主要组成部分。与此同时，大多数规模化养猪场分布于城市近郊，有些养猪场已与周边城镇居民连为一体，粪便污染直接威胁城市生态环境质量，使城市化进程的发展与规模化养猪矛盾日益尖锐。由此可见，这种单方面侧重财务指标的绩效评价模式已经不能保证经济与环境的协调发展。而共生理论就要求养猪业生态产业链中的各利益主体放远目光、注重长期效益，关注自身与所有共生单元的共生与双赢共存。此外，本书引入包括带动就业人数、增加农民收入情况等非财务指标在内的社会责任进行养猪业生态产业链绩效评价，立足于产业链整体，强调利益相关者的整体利益和长远利益的最大化。

依照养猪业生态产业链绩效评价总体要求，秉承全面、客观、准确、科学的绩效评价原则，遵循评价体系的内部逻辑关系，以共生理论和均衡理论为基础，从财务绩效、社会绩效、环境绩效三大方面构建养猪业生态产业链绩效评价模式，如图6-1所示。该评价模式与现有的绩效评价模式的区别在于引入了社会绩效和环境绩效，将生态成本和社会成本考虑在内，丰富了养猪业生态产业链的绩效评价指标体系，有利于提升养猪户等共生单元的生态环境保护意识。

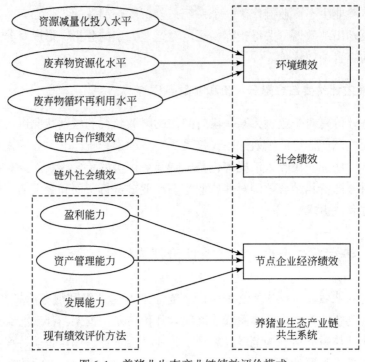

图 6-1 养猪业生态产业链绩效评价模式

6.1.5 养猪业生态产业链绩效评价指标体系的构建原则

构建指标评价体系应当遵循一定的原则，就养猪业生态产业链而言，应遵循的原则主要有以下几个。

1. 整体性原则

养猪业生态产业链是一项复杂的系统工程，评价指标体系应当从养猪业生态产业链整体出发，能够全面反映养猪业产业发展、社会效应、资源循环利用等各个方面。

2. 层次性原则

养猪业生态产业链包括若干方面，指标应当在不同层次上选取。首先，确定养猪业生态产业链整体绩效目标；其次，将总目标进行层层分解，进一步确定准则层；最后，确定准则层下面的具体指标层。通过层层分解，指标体系之间的联系和逻辑关系及目标实现途径都变得清晰可查，有助于进行采用不同方法的绩效评价。

3. 重点性原则

养猪业生态产业链是一个复合的经济生态系统，其结构和功能体现在不同方面，如果把指标体系都罗列出来反而失去了指标评价的意义。指标设计不仅仅要选择对行业有通用意义的指标而且应当能够在层次清晰的基础上，有所侧重、有所选择，体现养猪业生态链绩效考察重点。

4. 可比性原则

比较稳定的或者是同质的指标体系，即具有相同结构的指标体系，就易于从时间上和空间上进行比较，不仅能够进行多个个体同种要素之间的比较，而且能够考察该组织纵向发展波动情况，所以指标体系的可比性要求是很重要的。

5. 可操作性原则

建立养猪业生态产业链绩效评价指标体系的目的是对养猪业生态产业链进行绩效评价。一方面，由于地域特色，不同地区养猪业生态产业链呈现出不同特点，这就增加了绩效评价指标操作的难度；另一方面，在实际评价时，有些指标数据在采集上还存在一定困难，因而指标设计要具备可操作性。

6. 动态调整性原则

我国养猪业生态产业链表现形式多样化，且正处于由初级产业链向复杂的高级产业链过渡阶段，其生态产业链总是处于动态变动中，绩效评价指标体系也应当随着养猪业生态产业链的发展作出适当调整，使指标体系具有针对性和更高的可信度。

7. 定量指标与定性指标相结合的原则

为了确保养猪业生态产业链绩效评价的结果更为准确、科学，确定定量评价模型是十分重要的。这就要求在建立绩效评价指标体系时选取可定量化的指标。定量指标直观、具体，对养猪业生态产业链作出的评价结果直接明了。但是，由于养猪业生态产业链是一项复杂的系统工程，反映产业链发展的指标不可能全部都能定量化，这就需要运用定性指标将无法计量但却能够反映养猪业生态产业链状况的潜在因素纳入评价指标体系，并通过分析判断，得到综合评价结果。

6.1.6 养猪业生态产业链绩效评价的四级指标体系

养猪业生态产业链绩效评价指标体系是指按照指标构建原则，从生态产业链利益主体出发，构建的能够全面评价养猪业生态产业链绩效的指标体系。在前文养猪业生态产业链绩效评价内容的基础上，以绩效评价指标体系设计原则为指导，构建出基于循环经济的养猪业生态产业链绩效评价指标体系，如表6-1所示。

表6-1 养猪业生态产业链绩效评价指标体系

总目标层 O	子目标层 A	准则层 B	指标层 C	备注
养猪业生态产业链综合绩效 O	节点企业经济绩效 A_1	盈利能力 B_1	净资产收益率 C_{11}	+，定量
			销售净利率 C_{12}	+，定量
		资产管理能力 B_2	总资产周转率 C_{21}	+，定量
			流动资产周转率 C_{22}	+，定量
		发展能力 B_3	主营业务收入增长率 C_{31}	+，定量
			单位禽畜产品率 C_{32}	+，定量
			科技开发投入水平 C_{33}	+，定量
	社会绩效 A_2	链内合作绩效 B_4	带动就业率 C_{41}	+，定量
			合作农户人均收入 C_{42}	+，定量
			主体契约规范度 C_{43}	+，定性
			收入分配公平度 C_{44}	+，定性
			契约农户流动率 C_{45}	−，定量
			信息沟通与反馈速度 C_{46}	+，定性
		链外社会绩效 B_5	龙头企业市场形象 C_{51}	+，定性
			获政府支持度 C_{52}	+，定性
	环境绩效 A_3	资源减量化投入水平 B_6	化肥施用水平 C_{61}	−，定量
			企业万元产值能耗 C_{62}	−，定量
			企业万元产值水耗 C_{63}	−，定量
		废弃物资源化水平 B_7	沼气设施容量比 C_{71}	+，定量
			粪便资源化率 C_{72}	+，定量
			污水排放达标率 C_{73}	+，定量
			抛荒土地利用率 C_{74}	+，定量
		废弃物循环再利用水平 B_8	土壤有机质含量 C_{81}	+，定量
			无公害农产品面积比 C_{82}	+，定量
			水资源循环利用率 C_{83}	+，定量

1. 总目标层

总目标层为养猪业生态产业链总绩效，用以反映养猪业生态产业链发展绩效的高低程度，是养猪业生态产业链绩效评价的总目标。

2. 子目标层

养猪业生态产业链绩效评价涉及养猪企业，即关键企业经营效果、养猪企业与上下游企业之间的信息沟通与交流以及社会和环境影响等多方面，因而笔者根据养猪业生态产业链不同绩效目标和考察重点，将总目标分解为三个子目标，分别为经济绩效、社会绩效和环境绩效。

经济绩效是衡量产业链经济收益的客观数据和标准，反映了产业链赚取利润能力和资产管理能力，而养猪业生态产业链运营程度的高低，很大程度上是由居于关键种地位的养猪企业决定的。因而对养猪业生态产业链经济绩效的考核主要是考察节点企业，即养猪企业经济运营好坏；社会绩效反映了养猪企业对内保证产业链的稳定性和对外社会责任感大小；环境绩效则体现养猪业生态产业链贯彻循环经济理念，实现减量化、资源化和循环利用的程度。

3. 准则层

准则层是连接总目标与指标的中间桥梁，起着承上启下的作用。由于子目标不同，笔者结合养猪业生态产业链的实际情况又将准则层进一步细分。考察节点企业的经济运营状况，主要从养猪企业的盈利能力、资产管理能力和发展能力三个方面来体现。

（1）节点企业经济效益

经济效益主要反映处于关键种地位的养猪企业赚取利润的能力，是其他投资的前提和基础。经济效益又包括企业盈利能力、资产管理能力和发展能力。其中，盈利能力是企业赚取利润的能力，这是利益主体都比较关注的方面。选取净资产收益率和销售净利率作为其具体考察指标；资产管理能力能够有效反映公司资产运作能力的高低。一般而言，资产管理能力水平高，同等盈利所占用的资金少，投资人需要投入企业的资金也比较少。选取总资产周转率和流动资产周转率作为企业资产管理能力的考察指标；发展能力是企业生存和发展的保证，反映其可持续发展能力。选取主营业务收入增长率、单位畜禽产品率、科技开发投入水平作为具体指标。

（2）链内合作绩效

链内合作绩效主要反应养猪企业与下游农户之间的合作关系，是生态产业链稳定性指标。企业通过契约关系、信息沟通、经济收益等对产业链进行管理，产业链稳定程度与合作绩效息息相关。因而，本书选取就业率、合作农户收入、契约规范度、收入分配公平、契约农户流动率、信息沟通和反馈作为其具体考察指标。

（3）链外社会绩效

链外社会绩效主要反映企业对链外社会责任感及获取政府支持的能力。农业是基础产业和弱势产业，需要政府的大力扶持，因而将企业获取政府的支持度作为绩效评价的一个考察点，此外，龙头企业社会形象反映企业的社会地位和声誉，对企业的长期发展有长远影响，因而也是本书考察重点之一。

（4）环境绩效

环境绩效代表企业的长期发展能力，由于养猪业所造成的环境污染问题现已成为农村非点源性污染的主要来源，国家加大对养猪业的环境整治，环境短板是影响养猪业生态产业链长期发展的制约因素。因而，在循环经济背景下，从资源减量化投入水平、废弃物资源化水平、废弃物循环再利用水平三个方面来考察养猪业生态产业链环境绩效。要实现循环经济的目标，首先要在源头保证资源投入减量化，故选取化肥施用水平、企业万元产值能耗、企业万元产值水耗作为具体指标值；为解决粪便资源化问题，选取沼气设施容量比、粪便资源化率、污水排放达标率、抛荒土地利用率作为考察指标；为反映养猪业生态产业链资源利用程度高低，通过土壤有机质含量、无公害农产品种植面积比、水资源循环利用率三个具体指标来考察。

4. 指标层

指标是目标的层层分解，可以体现目标的实现程度。根据养猪业生态产业链绩效评价的目标和要求，设置4个层次的25个指标。

6.1.7 养猪业生态产业链绩效评价指标解释

1. 净资产收益率

净资产收益率指企业一定时期内的净利润同平均净资产的比率，也叫净值报酬率或权益报酬率。它是评估养猪业生态产业链资本运营及其积累获取报酬水平的最具综合性与代表性的指标，是反映养猪业生态产业链运营的综合绩效，是企业所有者最关心的指标。企业净资产收益率越高，企业自有资本获取收益的能力越强，运营绩效越好，对企业投资人、债权人的保证程度越高，反之则相反。该指标直接取值于企业年度利润表和资产负债表。

2. 销售净利率

销售净利率指企业一定时期内实现的净利润与销售收入的比率。它表明企业每单位销售收入能带来多少税后利润，反映了企业销售收入的获利能力，是评价企业盈利能力的主要指标。该指标越高，说明企业产品或商品定价科学，产品附加值高，主营业务市场竞争力强，发展潜力大，获利水平高。该指标取值于企业年度利润表。

3. 总资产周转率

总资产周转率体现了企业经营期间全部资产从投入产出周而复始的流转速度，反映出企业一定时期的实践产出效率及其对每单位资产实现的价值补偿，指企业一定时期主营业务收入净额同平均资产总额的比值。该指标直接取值于利润表和资产负债表。

4. 流动资产周转率

流动资产周转率是指企业一定时期主营业务收入净额同平均流动资产总额的比值，是评价企业流动资产利用效率的重要指标，反映了企业的资产管理能力。该指标取值于利润表和资产负债表。

5. 主营业务收入增长率

主营业务收入增长率是指企业本年主营业务收入增长额同上年主营业务收入总额的比率，表示与上年相比，企业主营业务收入的增减变动情况，是评价企业成长状况和发展能力的重要指标。若该指标大于0，表示企业本年的主营业务有所增长，指标值越高，表明增长速度越快，企业市场前景越好；若该指标小于0，则说明该产品或服务在某些方面需要改善和加强。该指标取值于利润表。

6. 单位畜禽产品率

单位禽畜产品率（单位：元/吨）是禽畜总产值（单位：元）与禽畜总量（单位：吨）的比值。单位禽畜产品率是反映养殖业经济效益的主要指标。该指标取值于实地调研。

7. 科技开发投入水平

一般用技术投入率衡量，是企业本年用于研究开发、技术改造、科技创新等方面的科技支出与本年营业收入的比率。它反映了企业在科技进步方面的投入，体现企业的发展潜力。该指标取值于实地调研。

8. 带动就业率

带动就业率指养猪业企业通过与农户签订购销合同（农产品采购合同）、利润返还协议、吸收入股及其他方式带动的农户数量，是政府考核养猪企业社会绩效的一个重要指标。该指标值越大，表示养猪企业的带动能力越强。该指标取值于实地调研。

9. 合作农户人均收入

合作农户人均收入指与养猪企业存在合作关系的农户通过为养猪企业提供农副产品、劳动力、出资、提供土地资源而从企业获得的各种收入，反映了养猪业对增加农民收入的作用，是主要的社会指标。该指标越大，说明合作农户从养猪企业获得的收入越多，反映企业与农户之间的利益联结能力情况。该指标取值于实地调研和网络资料收集。

10. 主体契约规范程度

主体契约规范程度为定性指标，指有契约关系的双方，即养猪企业和农户所签订的商品契约或要素契约，要件是否完备，具备足够的约束力。该指标取值于实地调研。

11. 收入分配公平度

收入分配公平度为定性指标，反映养猪企业与合作农户之间利益联结关系的强弱，指双方是否能根据权责利原则享受养猪业生态产业链所带来的利益与好处。收入分配越公平，养猪企业与农户之间的合作关系越紧密，越有利于生态产业链建设。该指标取值于实地调研。

12. 契约农户流动率

契约农户流动率是上年度契约农户数量减去今年契约农户数量与上年契约农户数量的比值，反映了农户与企业合作关系的强弱，体现养猪业生态产业链内部稳定性。该指标取值于实地调研。

13. 信息沟通与反馈速度

信息沟通与反馈速度指养猪企业与农户之间能否就契约问题、生产问题或市场问题等与养殖相关的系列问题，进行有效、及时的沟通，反映了企业对农户要求及时响应的能力，也是考察企业与农户合作关系稳定的一个指标。该指标取值于实地调研。

14. 龙头企业市场形象

龙头企业市场形象指企业在社会上的地位和形象，是评价企业社会责任的重要指标。企业形象越好，大家反映越好，企业的社会效应和社会责任感就越大。该指标取值于实地访谈和资料收集。

15. 获政府支持度

获政府支持度为定性指标，反映企业与政府关系的密切度。当地政府也是养猪业生态产业链居于地区层面的利益主体，与政府关系好坏关系着养猪业生态产业链能够获取的资源优势和无形的信誉优势，主要包括政府资金扶持和当地优秀企业评选。该指标取值于网络信息收集和实地访谈。

16. 化肥施用水平

化肥施用水平指化肥施用量（千克）与耕地总面积（平方百米）的比值。化肥是农业生产必需的生产资料，化肥可以提高单产但会对土壤造成破坏，也会对农产品品质造成影响。因此，在生产中应该减少化肥的施用量，提高化肥的使用效率。单位面积化肥施用量是衡量化肥减量化投入的一个重要指标。该指标值通过访谈和资料收集获取。

17. 企业万元产值能耗

企业万元产值能耗指企业每万元产值中能源（标煤）消耗总量，反映企业对资源的投入情况，是否贯彻实施减量化原则。该指标取值于实地访谈和资料收集。

18. 企业万元产值水耗

企业万元产值水耗指企业每万元产值中，水资源消耗总量。反映企业对水资源的节约和利用程度。该指标取值于实地访谈和资料收集。

19. 沼气设施容量比

该指标为笔者通过对养猪业生态产业链模式的分析及访谈整理出的指标，能够用来反映沼气设施容量与养猪场规模的匹配度，是养猪企业所需处理的年排放废弃物与所建设的沼气池容量的比值，反映养猪企业客观上的环境保护能力。企业沼气设施容量比越高，说明企业的环境保护能力越强，如果企业的沼气设施容量比较低，则说明企业需要加大对环保设施的投入，加大养猪业环境污染处理。该指标取值于实地调研。

20. 粪便资源化率

粪便资源化率指人畜粪便利用量与人畜粪便总产生量的比值。人畜粪便可以产生沼气或直接作为有机肥，对其进行综合利用不仅可以转化为新的资源，而且可以避免对环境的污染。该指标取值于实地调研。

21. 污水达标排放率

污水达标排放率指企业年排放的污水经处理后达标总量与总排放量的比值，污水达标排放可用于其他条件的生产，反映了企业废水资源化程度和水平。该指标取值于实地调研。

22. 抛荒土地利用率

该指标是笔者通过实地调研和相关资料搜索提取出的指标。土地也是资源，针对低洼产田这类自然资源禀赋不好的土地，通过流转、增肥，提高利用率，是对资源极大的节约和利用。它是土地开发种植或养殖面积与抛荒土地总面积的比值。该指标取值于实地调研。

23. 土壤有机质含量

在诸多循环经济指标体系中，该指标并未被当成循环农业指标使用，但针对土壤有机质含量不高的南方土壤而言，对其质地进行改良，增加其有机质含量，可以提升土地的使用年限，也是土地资源的节约。因而，选取土壤中有机质含量作为土地循环利用的指标，指每千克土壤中有机质的含量。该指标取值于实地调研与资料收集。

24. 无公害农产品面积比率

无公害农产品面积比率指无公害农产品种植面积与种植面积的比值。该指标取值于实地调研。

25. 水资源循环利用率

水资源循环利用率指水资源循环利用量与水资源使用总量的比值，反映了企业水资源循环利用能力，是可持续发展的一个重要方面。该指标取值于实地调研。

6.2 指标权重的确定——层次分析法（AHP）

指标的权重是指在综合评价时各指标所占的比重，反映评价主体对指标的重视程度。权重确定与分配是评估指标体系设计中非常关键的一个步骤，对于能否客观、真实地反映公共部门的整体绩效起着至关重要的作用。绩效评价的指标权重确定主要有两种方法：一是主观赋权法，主要由决策者根据自己的经验及对各属性的重视程度来赋值，具有一定的主观随意性，如德尔菲法、比较矩阵法、层次分析法等。二是客观赋权法，通过计算而得出权重，如主成分分析法、熵值法、线性规划法等。通过客观赋权法，可以减少评判者的主观性，然而完全通过数学方法计算出来的结果，有可能与社会现实脱节。此外，在研究中，有学者将主观赋权法与客观赋权法相结合，既可以避免主管赋权法主观性较强的缺点，又避免客观赋权法与实际脱离的问题。

养猪业生态产业链绩效评价内容包括经济绩效、社会绩效和环境绩效，同时由于不同地区产业链有不同特点，指标评价较为复杂，因而本书选择层次分析法对养猪业生态产业链进行指标权重分析。

6.2.1 层次分析法的基本原理

层次分析法（analytie hierarehy proeess，AHP）是由美国运筹学家T. L. Saaty 教授 1971 年提出的一套决策方法，主要用于不确定情况下具有多个评估准则的决策问题。随着实践的发展，层次分析法也在不断完善，目前已成为解决综合评判和决策的重要方法之一。

简单来说，就是用下一层次因素的相对排序来求得上一层次因素的相对排序。基本原理为：首先将要解决的复杂问题，根据要达到的目标分解成不同的组成因素，根据因素间的逻辑关系和隶属关系将各层次因素聚类组合，进而形成一个递阶的有序层次结构模型，其次通过专家判断赋值量化，利用数学方法确定每一层次因素相对重要性次序的权值，最后通过综合计算各层因素相对重要性的权值，得到下一层相对于上一层的相对重要性组合权值，以此作为综合判断的根据。

1. 建立层次结构模型

对实际要解决的问题进行系统性分析，将所包含的属性相关的各因素自上而下进行分层，根据不同层次元素之间的逻辑性和隶属关系，将目标自上而下依次分解为不同层次。自上而下依次为目标层 A、准则层 B、方案层 C，方案层元素 C_{ij} 隶属于准则层元素 B，准则层元素 B_{ij} 隶属于目标层 A。

2. 构造判断矩阵

判断矩阵表示针对上一层次某因素而言，本层次与之相关的各因素之间的相对重要性。假定 A 层因素 A_k 与下一层元素 B_1，B_2，$\cdots$，B_n 有联系，则判断矩阵如表 6-2 所示。

表 6-2　判断矩阵

A_k	B_1	B_2	B_j	B_n
B_1	B_{11}	B_{12}	$\cdots$	B_{1n}
B_2	B_{21}	B_{22}	$\cdots$	B_{2n}
B_i	B_{i1}	B_{i2}	B_{ij}	B_{in}
$\cdots$	$\cdots$	$\cdots$	$\cdots$	$\cdots$
B_n	B_{n1}	B_{n2}	$\cdots$	B_{nn}

其中，B_{ij} 表示对上一层级 A_k 而言，B_i 对 B_j 的相对重要性，由具体数值表示。

判断矩阵采用萨提教授提出的 $1 \sim 9$ 标度法对评价指标进行两两比较，通过构造判断矩阵，计算指标之间的相对重要性。标度内容如表 6-3 所示。

表 6-3　标度内容表

标度	内容
1	两个指标重要性相等
3	一个指标的重要性稍微高于另外一个
5	一个指标的重要性明显高于另外一个
7	一个指标的重要性强烈高于另外一个

标度	内容
9	一个指标的重要性极端高于另外一个
2、4、6、8	上述两邻判断的中值
倒数	若指标 i 与指标 j 比较其相对重要性用上述之一数值标度；则指标 j 与指标 i 比较用该数值的倒数标度

在确定判断矩阵时，专家评判数据的取得是非常重要的，因此选择专家也是层次分析法的基本环节。选择专家时应该注意以下几个方面。

（1）专家的选择条件

根据研究目的、对象以及德尔菲法的特点，确定专家选择条件：①具有一定的循环经济产业链或绩效评价的理论知识或实践经验；②在循环经济领域进行较长时间的研究；③有一定的积极性，愿意回答专家咨询问卷并能持续参与研究；

（2）专家数量的确定

专家的人数不能太多，也不能太少。专家人数太多，不仅仅会增加调查难度和成本，而且人员难以有效组织，结果处理复杂度也增加；专家人数过少，则样本量不足，加大结果的不稳定性。根据数理统计理论，咨询专家的人数与咨询结果的可信度与权威性具有一定的函数关系。在随机抽样的条件下，标准差的均数 $\overline{\sigma}$ 与总体标准差 σ 之间满足：

$$\frac{\overline{\sigma}}{\sigma} = \frac{1}{\sqrt{m}} \tag{6-1}$$

式中，m 为专家人数，m 增大，$\overline{\sigma}$ 减小，当 $m=4$ 时，$\overline{\sigma}=0.5$，随后 $\overline{\sigma}$ 减小速度下降。相关研究表明，一般在具体考评中，选取 $4 \sim 16$ 位专家组成小组就可以得到比较满意的结果。故共邀请 4 位专家进行问卷咨询，包括学科领头人 2 位，企业代表 2 位。

（3）专家预测结果的数据处理

专家咨询的重要任务是在每轮调查后对多名专家意见进行分析与处理，使结果量化。将层次分析法的萨提九标度数值与专家咨询相结合，编制专家问卷访谈表。一般通过四次专家问卷反馈，专家意见才趋于一致。

对于多位专家不同的判断结果，如何转化为最终统一的指标权重值，目前尚无统一方法。具体方法主要有两类，一是通过编程，运用软件计算最终权重值；一种是通过平均值计算方法，包括每位专家判断的比较值的平均及每位专家根据其判断矩阵计算出各自权重值后的权重值平均。

3. 层次单排序及一致性检验

层次单排序是以判断矩阵为根据，计算某层次中与上层某一因素有联系的所有因素对上层某一因素的重要性次序的权值。可通过计算判断矩阵的最大特征值 λ_{max} 和特征向量 $\overline{w}$ 来实现。λ_{max} 的计算通常采用 Saaty 的近似算法，误差在 10^{-3}。以 $O\text{-}A$ 为例：

求判断矩阵 $O\text{-}A$ 每行数值乘积的 $1/n$ 次幂：

$$\overline{w_i} = \sqrt[n]{\prod_{j=1}^{n} a_{ij}}, \quad i = 1, 2, \cdots, n \tag{6-2}$$

求 $O\text{-}A$ 层次单排序：

$$w_i = \overline{w_i} \Big/ \sum_{i=1}^{n} \overline{w_i}, \quad i = 1, 2, \cdots, n \tag{6-3}$$

即为层次单排序结果。

计算最大特征值 λ_{max}：

$$\lambda_{max} = \sum_{i=1}^{n} \frac{a_{ij}w_i}{w_i} \times \frac{1}{n} \tag{6-4}$$

4. 矩阵 $O\text{-}A$ 一致性检验

在进行权重比较时，由于客观事物的复杂性和人们认识的主观性及多样性，并不是每个判断矩阵都具有一致性，所以要进行一致性分析。一致性指标通常用 CI（consistence index）来表示，其公式为：

$$CI = \frac{\lambda_{max} - n}{n - 1} \tag{6-5}$$

当判断矩阵具有完全一致性时，$CI = 0$。$\lambda_{max} - n$ 越大，CI 越大，一致性越差。为了检验判断矩阵是否具有满意的一致性，需要将 CI 与 RI（即同价矩阵随机一致性）进行比较。其比较值 $CR = \frac{CI}{RI}$ 即为一致性比率。$1 \sim 9$ 阶随机性指标 RI 如表 6-4 所示。

表 6-4 判断矩阵随机一致性指标

矩矩阵阶数	1	2	3	4	5	6	7	8	9
RI	0.00	0.00	0.58	0.90	1.12	1.24	1.32	1.41	1.45

根据判断矩阵定义，1 阶、2 阶矩阵式是具有完全一致性的，此时，$RI = 0$。当阶数大于 2 的时候，应当进行矩阵一致性检验，即 CR 检验。当 $CR < 0.1$ 时，判断矩阵具有一致性，符合要求，否则判断矩阵不能通过一致性检验，需要对

其进行调整，直到符合为止。

5. 层次总排序及一致性检验

（1）总排序权重计算

在计算出层次单排序后，就可以自上而下将单层指标权重进行合成得出总排序。设 A 层中包含 m 个因素，分别为 A_1、A_2、$\cdots$、A_m，其层次总排序的权重分别为 a_1、a_2、a_2、$\cdots$、a_m，下一层次 B 包含 n 个因素 B_1、B_2、$\cdots$、B_n，其对 A 的权重层次单排序为 b_1、b_2、b_3、$\cdots$、b_n。各因素对 B 的层次单排序权数分别记为 c_1、c_2、$\cdots$、c_n，此时 B 层总排序权数值可通过计算得出，如图6-2所示。

层次 A	A_1	A_2	$\cdots$	A_m	B 层总排序
层次 B	a_1	a_2	$\cdots$	a_m	
B_1	B_{11}	B_{12}	$\cdots$	B_{1m}	$\sum\limits_{i=1}^{m} a_i b_{1i}$
B_2	B_{21}	B_{22}	$\cdots$	B_{2m}	$\sum\limits_{i=1}^{m} a_i b_{2i}$
$\cdots$	B_{i1}	B_{i2}	$\cdots$	$\cdots$	$\cdots$
B_n	$\cdots$	$\cdots$	$\cdots$	B_{in}	$\sum\limits_{i=1}^{m} a_i b_{ni}$

图6-2　层次总排序

其计算公式如下所示：

某指标权重=所属一级目标的权重×所属准则层权重×该指标相对于
　　　　　准则层因素的权重　　　　　　　　　　　　　　　　　　（6-6）

（2）总排序权重矩阵一致性检验

总排序一致性检验原理与前面单排序检验相同，CI 为总排序一致性指标，RI 为总排序随机一致性指标，CR 为层次总排序随机一致性比率。当且仅当 $CR<0.1$ 时，层次总排序的计算结果才具有一致性。

6.3　评价模型与方法的解释

6.3.1　养猪业生态产业链绩效综合评价模型的建立

通过层次分析法得到的绩效评价指标权重为（w_1，w_2，w_3，$\cdots$，w_n），经过对指标数据标准化后的评价分值为（D_1，D_2，D_3，…，D_n），采用线性加权法对基于循环经济的养猪业生态产业链的绩效评价指标进行加权合成，得到养猪业生态产业链综合绩效评价值为：

$$V = \sum_{i=1}^{n} (D_t^{(t)} \times W_i) \tag{6-7}$$

式中，V 是综合评价值；$D_i^{(t)}$ 是指标标准化值；W_i 是第 i 个评价指标权重。

6.3.2 评价指标原始值的确定

对养猪业生态产业链绩效进行综合评价，可以从横向、纵向两方面进行。横向评价是对多个养猪业生态产业链在同一时间段（某一年度）绩效水平高低的评价，可以反映企业在被评企业群体中的绩效水平，通过同行业之间的比较，发现自身不足之处，找出差距并有针对性地进行调整。纵向评价则是对同一企业在自身不同时间段（连续若干年）绩效水平高低的评价。它是企业自身最优判断的方法，可以进行自身纵向比较，但是具有排他性。无论是横向评价还是纵向评价，均通过单指标评价值和综合评价值来进行计算。

养猪业生态产业链绩效评价指标中既有定量指标又有定性指标，计量属性不统一，故不能直接用以比较，无法进行综合评价。因此需要对不同量纲指标进行标准化处理。根据指标属性、指标权重的确定方式，指标数据标准化的方法可以分为直线型、折线型和曲线型三种，常见的数据标准化处理主要有中心化变换、规格化变换（极差正规化）、标准化变换和对数变换等。由于养猪业生态产业链发展评价指标各不相同，且取值范围差异较大，因此，需要对所得数据进行无量纲标准化处理。采用极差标准化方法来计算单指标评价值和综合评价值。

6.3.3 指标原始值的无量纲化

1. 定量指标的无量纲化

设评价年份为 m，评价指标数为 n，记 D_i 为第 t 年的指标 C_i 评价值。

1）正向指标规范化模型：

$$D_i^{(t)} = C_i^{(t)} \Big/ \max_{1 \leqslant t \leqslant m} \{C_i^{(t)}\} \qquad (1 \leqslant t \leqslant n) \tag{6-8}$$

2）负向指标规范化模型：

$$D_i^{(t)} = \max_{1 \leqslant t \leqslant m} \{C_i^{(t)}\} \Big/ C_i^{(t)} \qquad (1 \leqslant t \leqslant n) \tag{6-9}$$

在以上指标中，正向指标的值越大越好；负向指标的值越小越好。

2. 定性指标的无量纲化

若 C_i 为定性指标，具有一定主观性，需要进行量化处理。通过专家评估或问卷调查得出指标值，继而进行标准化。设置的 25 个指标中，有 5 个定性指标，分别是主体契约规范度、收入分配公平度、信息沟通与反馈速度、龙头企业市场形象、获政府支持度。定性指标通过设计问卷，由专家打分实现，设置 5 点量表，将定性指标分为 5 个等级，分别是很好/高、较好/高、一般、较差/弱、很差/弱，对应于每个级别赋值分别为 1、0.8、0.6、0.4、0。假设有 n 个专家，每位专家打分为 p，则该指标综合得分计算如下：

$$p^* = \frac{\sum_{u=1}^{n} p_i}{n}$$

(6-10)

6.3.4 养猪业生态产业链绩效综合评分的确定与评判

将建立起来的养猪业生态产业链绩效评价指标体系通过绩效评价模型应用到养猪业生态产业链综合绩效的评价，所求得的 V 值就是其综合绩效评价值。通过不同年份之间的比较，分析出基于循环经济的养猪业生态产业链在发展中存在的不足，并提出相应的改进措施以提高养猪业生态产业链的管理水平。

6.4 结　论

6.4.1 养猪业生态产业链绩效评价的多维评价模型的构建

养猪业生态产业链作为一种相关行业在某一地区的集聚，其绩效评价不能仅考虑单个利益主体，还应注重利益相关者围绕环境问题而发生的联系与协作。同时，产业链作为一个整体还对区域社会与环境有着重要影响。因此，构建的评价模型旨在体现产业链在"节点""协作"和"整体"三个层面的经济、社会、环境综合绩效水平。

6.4.2 养猪业生态产业链绩效评价指标体系的设置

现有研究主要是对产业链发展的各影响因素进行定性描述，并没有提出因素选择的严格理论依据和数理论证。而绩效评价作为管理学的重要研究内容，其对相关指标的选取是必须遵循系统性、科学性、可比性、可操作性等具体原则的。因此，以养猪业生态产业链绩效评价模型为依据，遵循一般绩效评价的基本准则，适当运用数理统计方法来验证具体指标与产业链绩效水平的相关性，以提高评价指标体系的可信性与实用性。

6.4.3 养猪业生态产业链绩效评价方法与模型的确立

本书利用层次分析法与专家评分法来确定各指标的权重，并采用绩效评价中较为成熟的线性加权记分模型评价养猪业生态产业链的综合绩效，充分利用实际数据表现力与人类认知系统辨识力的优势，由此提升模型评价结果的可信性，进而提升该养猪业生态产业链绩效评价指标体系的实用性。

第 7 章
养猪业生态产业链绩效评价的实证分析

将养猪业生态产业链绩效评价指标体系应用于实际案例分析（梁凡丽，2013）。选取具有代表性的湖北省武汉市江夏区 H 公司"猪—沼—X"养猪业生态产业链为研究对象，结合已构建的指标体系，基于 AHP（层次分析法）确定养猪业生态产业链绩效评价指标权重，对其进行 2007~2011 年的绩效评价，通过定性和定量分析得出样本养猪企业不同年度生态产业链综合绩效水平及不同层次绩效分值，并通过纵向对比，发现样本养猪业生态产业链在经济、社会和环境管理方面的不足之处，为政府政策制定提供一定的参考和依据，以便为养猪业生态产业链发展提供更好的指导，最终实现养猪业和谐、健康、稳定的发展。

7.1 实证研究设计

7.1.1 实证研究设计思路

在对养猪业生态产业链绩效评价进行理论分析的基础上，根据层次结构模型归纳出基于循环经济的养猪业生态产业链影响因素，结合养猪业生态产业链特征和价值链特征构建基于循环经济的养猪业生态产业链绩效评价指标体系。本章将通过对样本养猪业生态产业链绩效的实证分析，对该样本养猪业生态产业链绩效进行评价，发现其在经济、社会及环境管理方面的不足，并为政府制定相应政策提供依据，为养猪业生态产业链发展提供指导。

7.1.2 样本选取

通过相关课题的研究和文献资料的收集整理，结合湖北省养猪业发展现状，本书以具有代表性的湖北省武汉市江夏区 H 公司所建立的"猪—沼—X"生态产业链为样本（简称样本"猪—沼—X"）进行实证分析。

H 公司成立于 1997 年 8 月，是一家以规模化养殖、生态种植为主的大型农业企业。H 公司以"猪、沼、地、鱼、莲、藕（菜）"为特色、"种植—养殖一体化"的省级农业产业化重点龙头企业，已获得农业部无公害大型生猪养殖基地认证，生猪饲养通过 ISO 9001：2000 质量管理体系认证，公司生产的优质生猪成为中粮集团在武汉最大的供货商之一，良种种猪远销华中及华南等地。

2007 年 12 月，国务院批准武汉城市圈为"全国资源节约型和环境友好型社会建设综合配套改革试验区"，在这个大的背景之下，公司在 2008 年确立了"发展农业循环经济、构建和谐新农村"的理念，以村企共建的模式，以土地流转和新农村建设相结合的方式，通过发展农业循环经济，将养殖、种植结合在一起，构建了以养猪业为主体的"猪—沼—X"养猪业生态产业链条。

目前，该公司总建筑面积 43 000 平方米，已流转土地 4000 亩，形成了养殖场年存栏 2 万头、年产鲜鱼 60 万千克、湘莲藕 500 万千克的生产规模。获得了"全国生猪标准化示范场""全国畜禽标准化百例示范场""全国科普惠农兴村先进单位""湖北省新农村建设示范基地""武汉市两型农业和循环农业示范基地""武汉市循环型企业""武汉市科普助推都市农业示范单位""湖北省农业产业化重点龙头企业""武汉市重大科技产业化项目实施单位""武汉市农业科技重点攻关项目实施单位""武汉市农业科技专家大院"等称号。当地农民通过承包藕田或进入猪场打工，实现了增收，人均年收入达到 1.5 万元。具体来看，该公司的循环经济有如下特点（孟祥海，2011）。

1. 在土地流转的基础之上形成规模经营，为养猪业循环经济奠定基础

H 公司处于丘陵岗地，水源严重缺乏，土地十分贫瘠，每亩土地净收益平均仅为 300～400 元。此外，由于农业比较效益低，农民种田积极性不高，许多青壮年劳动力都选择外出打工谋生。该地区"一家两三口人、有四五亩土地、分六七个地方，种着八九样庄稼"的传统生产模式极大地制约了农业经济的发展和人民生活水平的提高。在农民自愿的前提下，该公司以 600 元/（亩·年）的价格从周边农民手中进行土地流转，对已流转的土地进行整理并进一步完善农业基础设施，改变了当地"土壤贫瘠板结、化肥农药超量使用、三分之一靠天收、三分之一抛荒和三分之一旱涝保收"的落后生产现状，形成了田成块、地成方、渠相连、路相通、车能进、货能出、旱能灌、涝能排的生产基础设施格局。之后，采用劳资合作的模式，将已经整理好的土地承包给农民进行规模化经营，并统一种苗、统一管理、统一水肥、统一标准，销售收

入按照三七分成，最终提高了农民的收入，并带动了现代农业的发展。通过土地流转和规模经营突破了猪场废弃物资源化利用的用地瓶颈，实现了种植业与养猪业产业链的紧密链接和沼液的充分利用，促进了养猪业循环经济的发展。

2. 把养殖业与种植业相结合，构建循环经济产业链

2008 年，H 公司在当地政府的大力支持之下、在 "发展农业循环经济、构建和谐新农村" 理念的指导之下，与周围乡村形成了村企共建的模式。由公司主导实施土地整理，将低丘岗地改造成高产农田，通过发展农业循环经济，将养殖、种植结合在一起，构建养猪业循环经济产业链。该地区平均降水量为 1347 毫米，为充分利用降水，该公司投资 200 余万元建设一座 20 千瓦排灌泵站及排灌管网 1 万余米等设施，修建了 10 口蓄水塘，蓄水量达 10 万立方米，使得自然降雨完全可以满足公司猪场、鱼塘和藕田的需要。此外，该系统旱能灌溉，涝能蓄水，实现了水资源的循环利用，有效地节约了水资源。同时，公司按梯度修建藕田和鱼塘。发酵出的沼液经过加压升至沼液塔，之后经管道顺地势排入藕塘，沼液经莲藕吸收后，和浮游生物一起经管网排入鱼塘，水体经鱼类吸收后已达标，鱼塘水体消毒后再通过泵站抽入猪场冲洗猪舍，这样就实现了养猪业、种植业和渔业的有机耦合，构建起养猪业循环经济生产流程。其循环经济示意图如图 7-1 所示。

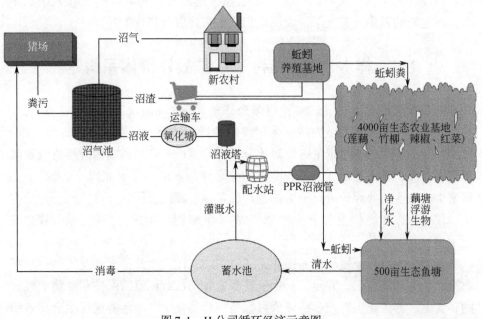

图 7-1　H 公司循环经济示意图

3. 以沼气工程为纽带，推动养猪业循环经济发展

为了养猪业循环经济的发展，H 公司已建成可满足公司 5 万头生猪排出的 200 吨/天的粪污处理要求的 6 座沼气池，总容量为 5850m³，并配套建设沼液、沼气输送管道长达 2 万多米。通过"沼气入户、沼肥还田"，日产的 1800 立方米沼气替代了煤、液化气及薪柴成为猪场和周边农户的燃料，每年节约煤 450 吨。沼液沼渣作为 400 公顷藕田肥料替代化肥，不仅每年节约化肥 2000 吨以上，而且有效促进了节能减排，彻底改善了农村生态环境和生活环境，改变了农村能源紧张的状况，改变了农村传统取火乱砍滥伐树木的状况，节省了人力、物力可以从事其他经营，提高了农民生活质量和赚钱机会。

4. 以农民自愿为前提，采用股份制经营机制，带动农民发展循环经济

H 公司采用股份制经营机制，采取"买一股送一股、自愿参股、年终结算、按股分红"的方式鼓励流转土地的农民和在外打工的农民在公司参股，支持家乡的经济建设。该公司还承诺，公司盈利，保证入股农民分红上不封顶；公司亏损，入股农民本金不减少。由于建立了有利于均衡的利益分配和激励机制，农民参加公司+农户的组织积极性比较高。农民既是公司的股东，可以享受分红受益，又可以成为公司职工，取得劳动工资性报酬，离土不离家，既能照顾老人小孩，又可以享受天伦之乐，比过去在外辛苦打工收入一点不少，在这样的鼓励政策之下，农民均积极参与发展养猪业循环经济。

7.2 样本"猪—沼—X"绩效评价体系构建

财政部统计评价司（1999）将绩效评价（performance evaluation）定义为是运用数理统计和运筹学方法，采用特定的指标体系，对照统一的评价标准，按照一定的程序，通过定量定性对比分析，对企业一定经营期间的经营效益和经营者业绩，作出客观、公正和准确的综合评判（陈留平和张凯，2007）。一般来讲，企业绩效评价由评价主体、评价客体、评价目标、评价标准、评价方法、评价指标和评价报告七个要素组成（温宏博，2009），其关系如图 7-2 所示。

养猪业生态产业链作为养猪业循环经济的载体，涉及多方利益主体，包括农户、企业与政府三个方面，其价值更多地体现在对环境的保护和养猪业模式的转变上。养猪业生态产业链评价目标是指养猪业生态产业链运行综合绩效情况，包括经济绩效、社会绩效和环境绩效。由于养猪企业在生态产业链上处于

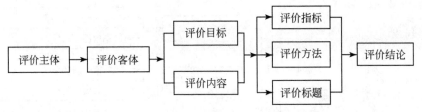

图 7-2 企业绩效评价要素构成

关键地位，故经济绩效主要是针对生态产业链上的龙头企业，主要考察龙头企业盈利能力、资金运行能力和发展潜力；社会绩效一方面针对农户层面，一方面针对社会层面。农户层面主要考察与农户关系稳定程度，社会层面则主要考察企业形象等；环境绩效则主要是考察养猪业生态产业链对环境保护的效用。而养猪业生态产业链绩效评价指标作为绩效评价的重要组成部分之一，是根据养猪业生态产业链评价目标而设计的，以指标形式出现，能够反映养猪业生态产业链特征，是实施养猪业生态产业链绩效评价的基础和客观依据。基于上述分析，并结合已构建的养猪业生态产业链绩效评价指标体系以及样本"猪—沼—X"的发展情况和特点，在综合考虑可行性以及指标体系的整体性、层次性、可比性、可操作性和动态调整性等原则的基础上，本书为该生态产业链确立了如图 7-3 所示的指标体系。

7.3 实 证 分 析

7.3.1 指标权重确定

根据数理统计理论，并结合调研情况，本书共邀请包括 2 位循环农业学科带头人和 2 位养猪业企业代表在内的 4 位专家学者对 4 个等级因素的重要性进行比较，考察总目标层（O）、子目标层（A）、准则层（B）和指标层（C）因素的相对重要性。以匿名方式征询专家意见，对问卷结果进行分析和归纳，综合 4 位专家的经验和主观判断，对指标权重进行估量，得出综合反映专家意见的判断矩阵。采用平均值计算方法将多名专家的不同判断结果转换成统一指标权重值，即对通过一致性检测的每个专家打分的比较值进行平均，进而得到每个比较值的均值，即为模型输入的原始判断矩阵。如若均值判断矩阵不能通过一致性检验，则需要参考专家调研结果进行适当调整，直至满足一致性检测为止。

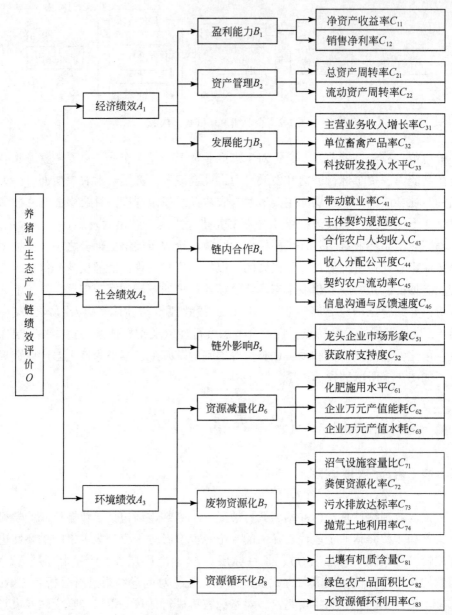

图7-3 养猪业生态产业链绩效评价指标体系

1. 专家判断矩阵一致性检验

由于有4名专家进行打分，故本书采用专业的层次分析法软件——YAPPH 0.5.3对专家数据进行分析。选取软件群决策功能，计算4位专家判断矩阵一致性，如表7-1所示。

表7-1 专家判断矩阵一致性检验

专家编号	专家权重	类别	判断矩阵一致性	对总目标权重
1	25%	节点企业经济绩效	0.0000	0.5396
		社会绩效	0.0000	0.2970
		环境绩效	0.0088	0.1634
2	25%	节点企业经济绩效	0.0176	0.6250
		社会绩效	0.0000	0.2385
		环境绩效	0.0000	0.1365
3	25%	节点企业经济绩效	0.0000	0.2500
		社会绩效	0.0000	0.2500
		环境绩效	0.0088	0.5000
4	25%	节点企业经济绩效	0.0516	0.4000
		社会绩效	0.0000	0.2000
		环境绩效	0.0000	0.4000

2. 构造均值判断矩阵

将通过一致性检测的4位专家指标比较值进行均值计算，得到O-A、A-B、B-C 3个不同层次上共12个判断矩阵，结果如下所示。

（1）主准则O-A层判断矩阵及一致性检验

主准则层判断矩阵是指经济绩效、社会绩效和环境绩效对总目标即总绩效的相对重要性矩阵，该矩阵的 $CR = 0.0021 < 0.10$，说明该矩阵通过一致性检验。由表7-2可知，相对于总绩效而言，环境绩效所占的权重最大，为0.4668，其次为社会绩效，所占权重为0.2785，所占的权重最小的是经济绩效，为0.2547，这表明在对养猪业生态产业链绩效考核中，首先应当考虑其所带来的环境绩效，因为养猪业生态产业链建立的目的就是为了减轻环境污染，实现粪便资源化，最终达到转变养猪业经济增长方式的目的。纵观已有文献，不少学者都批评了我国片面强调短期经济效益而忽视长期环境效益和社会效益所导致的农业资源环境恶化和生态系统有序性破坏所产生的负效应，因此，对于具有一定循环农业理论基础的专家或养猪企业代表来说，更为关注企业的环境绩效和社会绩效。

表7-2 *O-A* 层次判断矩阵

O	A_1	A_2	A_3	W_i
A_1	1.0000	2.0000	2.1250	0.2547
A_2	0.5000	1.0000	1.2500	0.2785
A_3	0.4706	0.8000	1.0000	0.4668

$\lambda_{max} = 3.0022$　　$CR = 0.0021 < 0.10$

（2）分准则层判断矩阵及一致性检验

包括判断矩阵 A_1-*B*、A_2-*B*、A_3-*B*，分别表示相对于经济绩效而言，盈利能力、资金运营能力和发展能力相对重要性权重；相对于社会绩效而言，链内企业合作绩效和链外影响绩效相对重要性权重；相对于环境绩效而言，资源减量化投入水平、废弃物资源化水平及废弃物循环再利用化水平三个层面的相对重要性权重。

三个判断矩阵 *CR* 分别为 0.0001、0.0000、0.0111，均通过一致性检验。由表7-3可知，相对于经济绩效来说，盈利能力和发展能力所占比重较大，分别为 0.4143 和 0.4090，这也是利益主体较为关注的两个方面。相对于社会绩效，链内合作绩效所占比重高于链外影响，即相较于养猪企业对社会责任感的大小来说，其对于保证产业链的稳定性更为重要，具体见表7-4。表7-5显示，相对于环境绩效来说，资源减量化投入水平、废弃物资源化水平及废弃物循环再利用化水平三个层面所占权重大小相当。这与循环经济的 3R 原则相对应，即减量化、再利用和再循环，输入端、过程中和输出端各个环节中减轻环境污染的行为都同等重要。

表7-3 A_1-*B* 层次判断矩阵

A_1	B_1	B_2	B_3	W_i
B_1	1.0000	2.3750	1.0000	0.4143
B_2	0.4211	1.0000	0.4375	0.1767
B_3	1.0000	2.2858	1.0000	0.4090

$\lambda_{max} = 3.0002$　　$CR = 0.0001 < 0.10$

表7-4 A_2-*B* 层次判断矩阵

A_2	B_4	B_5	W_i
B_4	1.0000	1.8750	0.6522
B_5	0.5333	1.0000	0.3478

$\lambda_{max} = 2$　　$CR = 0.0000 < 0.10$

表 7-5　A_3-B 层次判断矩阵

A_3	B_6	B_7	B_8	W_i
B_6	1.0000	1.2083	1.1250	0.3675
B_7	0.8276	1.0000	1.3125	0.3410
B_8	0.8889	0.7620	1.0000	0.2914
$\lambda_{max} = 3.0131$　$CR = 0.0111 < 0.10$				

通过对以上判断矩阵权重表整理得出分准则层内各个指标的权重的结果，见表 7-6。在三级目标层中，盈利能力、资金运营能力、发展能力、链内合作能力、链外影响力、资源减量化、资源化和循环化等指标的重要性排序为：$B_4 > B_6 > B_7 > B_8 > B_3 > B_1 > B_5 > B_2$，社会绩效的链内合作能力最为重要，体现了养猪业生态产业链的产业链特征，说明影响其绩效的首要因素与其自身相关，其次是环境绩效的三个指标，即减量化、资源化和循环化，分别反映养猪业生态产业链的生态链特性，从整个流程上减少资源投入和污染产生，实现资源循环利用（诸大建，2007）。

表 7-6　基于循环经济的养猪业生态产业链分准层指标权重

层次 B	层次 A			总排序权重
	A_1	A_2	A_3	
	0.2547	0.2785	0.4668	
盈利能力（B_1）	0.4143			0.1055
资产管理（B_2）	0.1767			0.0450
发展能力（B_3）	0.4090			0.1189
链内合作（B_4）		0.6522		0.1816
链外影响（B_5）		0.3478		0.0969
资源减量化（B_6）			0.3675	0.1715
废物资源化（B_7）			0.3410	0.1592
资源循环化（B_8）			0.2914	0.1360

（3）指标层面判断矩阵及一致性检验

指标层面判断矩阵包括经济绩效指标层判断矩阵 B_1-C（相对于盈利能力，净资产收益率和销售净利率的相对重要性权重）、B_2-C（相对于资产管理能力，总资产周转率、流动资产周转率的相对重要性权重）、B_3-C（相对于发展能力，主营业务收入增长率、单位畜禽产品率和科技开发投入水平的相对重要性权重）、社会绩效 B_4-C（相对于链内合作绩效，带动就业率、合作农户人均收入、主体契约规范度、收入分配公平度、契约农户流动率和信息沟通反馈速度的相对重要性权重）、B_5-C（相对于链外社会绩效，龙头企业市场形象和所获政府支持度的相对重要性权重）及环境绩效 B_6-C（相对于资源减量化投入水平，化肥施用水平、企业万元产值能耗和企业万元产值水耗的相对重要性权重）、B_7-C（相对于废弃物资源化水平来说，沼气设施容量比、粪便资源化率、污水排放达标率和抛荒土地利用率的相对重要性权重）、B_8-C（相对于废弃物循环再利用水平来说，土壤有机质含量、无公害农产品面积比和水资源循环利用率的相对重要性权重）共 8 个判断矩阵。8 个判断矩阵 CR 分别为 0.0000、0.0000、0.0853、0.0218、0.0000、0.0102、0.0300 和 0.0007，均通过一致性检验，具体如表 7-7 ~ 表 7-14 所示。

表 7-7　B_1-C 指标层判断矩阵

B_1	C_1	C_2	W_i
C_1	1.0000	2.1250	0.6800
C_2	0.4706	1.0000	0.3200
$\lambda_{max}=2$　$CR=0.0000<0.10$			

表 7-8　B_2-C 指标层判断矩阵

B_2	C_1	C_2	W_i
C_1	1.0000	2.1250	0.6800
C_2	0.4706	1.0000	0.3200
$\lambda_{max}=2$　$CR=0.0000<0.10$			

表 7-9　B_3-C 指标层判断矩阵

B_3	C_1	C_2	C_3	W_i
C_1	1.0000	5.8333	3.3333	0.3830
C_2	0.1714	1.0000	0.8125	0.2240
C_3	0.3000	1.2308	1.0000	0.3930
$\lambda_{max}=3.0954$　$CR=0.0853<0.10$				

表 7-10　B_4-C 指标层判断矩阵

B_4	C_1	C_2	C_3	C_4	C_5	C_6	W_i
C_1	1.0000	0.5833	1.8750	0.4375	0.3542	1.6250	0.1224
C_2	1.7143	1.0000	2.2500	0.6250	0.3750	2.2500	0.1709
C_3	0.5333	0.4444	1.0000	0.5000	0.3750	1.6350	0.0980

B_4	C_1	C_2	C_3	C_4	C_5	C_6	W_i
C_4	2.2857	1.6000	2.0000	1.0000	1.0833	2.7500	0.2537
C_5	2.8235	2.6667	2.6667	0.9231	1.0000	2.0000	0.2772
C_6	0.6154	0.4444	0.3636	0.3636	0.5000	1.0000	0.0778

$$\lambda_{\max}=6.1354 \quad CR=0.0218<0.10$$

表 7-11　B_5-C 指标层判断矩阵

B_5	C_1	C_2	W_i
C_1	1.0000	1.2500	0.5556
C_2	0.8000	1.0000	0.4444

$$\lambda_{\max}=2 \quad CR=0.0000<0.10$$

表 7-12　B_6-C 指标层判断矩阵

B_6	C_1	C_2	C_3	W_i
C_1	1.0000	0.7292	1.8333	0.3523
C_2	1.3714	1.0000	1.8125	0.4333
C_3	0.5455	0.5517	1.0000	0.2144

$$\lambda_{\max}=3.0119 \quad CR=0.0102<0.10$$

表 7-13　B_7-C 指标层判断矩阵

B_7	C_1	C_2	C_3	C_4	W_i
C_1	1.0000	0.2917	0.4167	2.5000	0.1571
C_2	3.4286	1.0000	2.0000	3.5000	0.4695
C_3	2.4000	0.5000	1.0000	2.2500	0.2726
C_4	0.4000	0.2857	0.4444	1.0000	0.1007

$$\lambda_{\max}=4.7138 \quad CR=0.0300<0.10$$

表 7-14　B_8-C 指标层判断矩阵

B_8	C_1	C_2	C_3	W_i
C_1	1.0000	2.5000	0.8750	0.3898
C_2	0.4000	1.0000	0.3208	0.1515
C_3	1.1429	3.1170	1.0000	0.4587

$$\lambda_{\max}=3.0008 \quad CR=0.0007<0.10$$

通过对以上判断矩阵权重表整理得出基于循环经济的养猪业生态产业链绩效评价指标权重的结果，如表 7-15 所示。

表 7-15　基于循环经济的养猪业生态产业链指标权重

层次 C	层次 B								总排序权重
	B_1	B_2	B_3	B_4	B_5	B_6	B_7	B_8	
	0.1055	0.0450	0.1189	0.1816	0.0969	0.1715	0.1592	0.1360	
C_{11}	0.6800								0.0717
C_{12}	0.3200								0.0338
C_{21}		0.6800							0.0306
C_{22}		0.3200							0.0144
C_{31}			0.3830						0.0455
C_{32}			0.2240						0.0266
C_{33}			0.3930						0.0467
C_{41}				0.1224					0.0222
C_{42}				0.1709					0.0310
C_{43}				0.0980					0.0178
C_{44}				0.2537					0.0461
C_{45}				0.2772					0.0503
C_{46}				0.0778					0.0141
C_{51}					0.5556				0.0538
C_{52}					0.4444				0.0431
C_{61}						0.3523			0.0604
C_{62}						0.4333			0.0743
C_{63}						0.2144			0.0368
C_{71}							0.1571		0.0250
C_{72}							0.4695		0.0747
C_{73}							0.2726		0.0434
C_{74}							0.1007		0.0160
C_{81}								0.3898	0.0530
C_{82}								0.1515	0.0206
C_{83}								0.4587	0.0624

为了更明确地把握养猪业生态产业链绩效评价各指标的相对重要性，掌握影响其绩效的主要因素，笔者将权重相对重要性整理如表 7-16 所示。

表 7-16　养猪业生态产业链指标权重排序

评价指标	权重	排序
粪便资源化率	0.0747	1
企业万元产值能耗	0.0743	2
净资产收益率	0.0717	3
水资源循环利用率	0.0624	4
化肥施用水平	0.0604	5
龙头企业企业形象	0.0538	6
土壤有机质含量	0.0530	7
契约农户流动率	0.0503	8
科技开发投入水平	0.0467	9
收入分配公平度	0.0461	10
单位畜禽产品率	0.0455	11
污水达标排放率	0.0434	12
获政府支持度	0.0431	13
企业万元产值水耗	0.0368	14
销售净利率	0.0338	15
合作农户人均收入	0.0310	16
总资产周转率	0.0306	17
沼气设施容量比	0.0250	18
主营业务收入增长率	0.0266	19
带动就业率	0.0222	20
无公害农产品种植比	0.0206	21
主体契约规范度	0.0178	22
抛荒土地利用率	0.0160	23
流动资产周转率	0.0144	24
信息沟通与反馈速度	0.0141	25

由表 7-16 可以看出，对综合绩效影响较大的具体指标为粪便资源化率、企业万元产值能耗、净资产收益率和水资源循环利用率，主要以环境绩效为主，这是因为粪便资源化是养猪业生态产业链的核心环节，无论企业或政府都应当多关注养猪企业粪便处理环节，做到资源转化，防止污染；经济绩效中的净资产收益率权重排位第 3，也进一步说明经济绩效依然是拉动养猪业生态产业链发展的内驱力；科技投入指标排位第 9，可见在养猪业规模化趋势下，科技投入发挥着举足轻重的作用。此外，水资源循环率和化肥施用水平、龙头企

业社会形象等对养猪业生态产业链影响也较大；信息沟通与反馈速度、契约主体规范度等对养猪业生态产业链的影响较小，主要是由于养猪业"公司+农户"契约关系易受多方因素影响，关系脆弱，合作均衡容易破裂，导致双方对合作信心不足，关心度降低。

7.3.2 指标评价值标准化

结合上述指标，通过阅读 H 公司项目可行性报告、实地调研和资料收集，对样本"猪—沼—X"2007～2011 年相关数据整理如下，其中净资产收益率、销售净利率、总资产周转率、流动资产周转率和主营业务收入增长率 5 个指标的数据出自该公司项目可行性报告中的利润表和资产负债表，其余指标的数据均来自实地调研或网络资料收集，具体如表 7-17 所示。

表 7-17   样本"猪—沼—X"2007～2011 年度指标数据值

指标	年份				
	2007	2008	2009	2010	2011
净资产收益率	5.02	5.41	3.25	3.13	1.43
销售净利率	0.18	0.48	0.15	0.24	0.14
总资产周转率	0.15	0.3	0.11	0.05	0.12
流动资产周转率	0.2	0.39	0.1	0.03	0.15
主营业务收入增长率	0.04	0.57	0.05	0.03	0.12
单位畜禽产品率	0.61	0.85	0.7	0.46	0.65
科技开发投入水平	0.34	0.35	0.15	0.1	0.3
带动就业率	0.06	0.08	0.1	0.13	0.15
合作农户人均获利	15000	18000	20000	25000	30000
主体契约规范度	0.6	0.6	0.75	0.75	0.75
收入分配公平度	0.6	0.65	0.75	0.8	0.8
契约农户流动率	0.15	0.55	0.35	0.22	0.22
信息沟通与反馈速度	0.5	0.5	0.5	0.5	0.5
龙头企业市场形象	1	1	1	1	1
获政府支持度	0.8	0.8	0.9	0.9	0.9
化肥施用水平	305.28	220.57	162.84	146.84	150.23
企业万元产值能耗	0.02	0.02	0.01	0.01	0.01
企业万元产值水耗	35	32	26	24	22
沼气设施容量比	0.07	0.2	0.15	0.14	0.12

指标	年份				
	2007	2008	2009	2010	2011
粪便资源化率	0.95	0.98	0.98	1	1
污水排放达标率	1	1	1	1	1
抛荒土地利用率	0.33	0.58	0.68	0.73	0.8
土壤有机质含量	0.017	0.021	0.025	0.032	0.032
无公害农产品面积比	0.09	0.17	0.2	0.22	0.24
水资源循环利用率	0.85	0.9	0.95	0.95	0.95

本书设置的 25 个指标中，有 5 个定性指标，分别是主体契约规范度、收入分配公平度、信息沟通与反馈速度、龙头企业市场形象、获政府支持度。定性指标通过设计问卷，设置 5 点量表，将指标分为 5 个等级，分别是很好/高、较好/高、一般、较差/弱、很差/弱，对应于每一级别赋值分别为 1、0.8、0.6、0.4、0，由 4 位专家打分获得指标值。利用式（6-11），本书中 n 为 4，结合专家打分结果，将 5 个定性指标 2007～2011 年数据标准化之后得到的结果如表 7-18 所示。

表 7-18　样本"猪—沼—X" 2007～2011 年度定性指标标准值

定性指标	年份				
	2007	2008	2009	2010	2011
主体契约规范度	0.800	0.800	1.000	1.000	1.000
收入分配公平度	0.750	0.813	0.938	1.000	1.000
信息沟通与反馈速度	1.000	1.000	1.000	1.000	1.000
龙头企业市场形象	1.000	1.000	1.000	1.000	1.000
获政府支持度	0.889	0.889	1.000	1.000	1.000

20 个定量指标当中净资产收益率、销售净利率、总资产周转率、流动资产周转率、主营业务增长率、单位畜禽产品率、科技开发投入水平、带动就业率、合作农户人均收入、契约农户流动率、沼气设施容量比、粪便资源化率、污水达标排放率、抛荒土地利用率、土地有机质含量、无公害农产品面积比率和水资源循环利用率 17 个指标属于正向指标，采用式（6-8）进行标准化。化肥施用水平、企业万元产值能耗、企业万元产值水耗 3 个指标为负向指标，采用式（6-9）进行标准化。将"猪—沼—X"养猪业生态产业链 2007～2011 年定量指标的数值标准化处理后如表 7-19 所示。

表 7-19 样本 "猪—沼—X" 2007～2011 年度定量指标标准值

定量指标	年份				
	2007	2008	2009	2010	2011
净资产收益率	0.928	1.000	0.601	0.579	0.264
销售净利率	0.375	1.000	0.313	0.500	0.292
总资产周转率	0.500	1.000	0.367	0.167	0.400
流动资产周转率	0.513	1.000	0.256	0.077	0.385
主营业务收入增长率	0.070	1.000	0.088	0.053	0.211
单位畜禽产品率	0.718	1.000	0.824	0.541	0.765
科技开发投入水平	0.971	1.000	0.429	0.286	0.857
带动就业率	0.400	0.533	0.667	0.867	1.000
合作农户人均获利	0.500	0.600	0.667	0.833	1.000
契约农户流动率	1.000	0.273	0.429	0.600	0.682
化肥施用水平	0.481	0.666	0.902	1.000	0.977
企业万元产值能耗	0.500	0.500	1.000	1.000	1.000
企业万元产值水耗	0.629	0.688	0.846	0.917	1.000
沼气设施容量比	0.350	1.000	0.750	0.700	0.600
粪便资源化率	0.950	0.980	0.980	1.000	1.000
污水排放达标率	1.000	1.000	1.000	1.000	1.000
抛荒土地利用率	0.413	0.725	0.850	0.913	1.000
土壤有机质含量	0.531	0.656	0.781	0.917	1.000
无公害农产品面积比	0.375	0.708	0.833	0.917	1.000
水资源循环利用率	0.895	0.947	1.000	1.000	1.000

7.3.3 综合评价值计算

对于一个由多方面因素公共影响的单位或一项工作质量的评价通常采用线性加权法，由于该方法具有计算简便、模型简单、适用性强等特点，因此在学术界广泛使用。使用该方法，可以对一个单位或一项工作质量的各个评价因素进行相对准确的统一分析，最终得出定额数值分析结果（杨艳，2011）。本书采用线性加权法对绩效指标进行加权，依据式（6-7）求得 "猪—沼—X" 养猪业生态产业链各层次综合绩效评价值 V，具体如下。

（1）总目标层绩效综合评价值（表7-20）

表7-20　总目标层绩效综合评价值

项目	年份				
	2007	2008	2009	2010	2011
综合绩效	67.9	82.4	76.8	75.9	82.4

（2）次级目标层绩效综合评价值（表7-21）

表7-21　次级目标层绩效综合评价值

项目	年份				
	2007	2008	2009	2010	2011
经济绩效	63.31	100	35.74	42.73	42.38
社会绩效	82.50	72.57	82.26	89.85	94.25
环境绩效	66.32	77.78	91.64	96.56	97.06

（3）准则层指标绩效综合评价值（表7-22）

表7-22　准则层指标绩效综合评价值

项目	年份				
	2007	2008	2009	2010	2011
盈利能力	75.10	100	50.85	55.34	27.31
资金运营能力	50.41	100	33.14	13.79	39.51
发展能力	56.94	100	38.65	25.37	58.88
链内合作绩效	70.91	54.05	64.64	73.82	78.94
链外社会影响	95.06	95.06	100	100	100
减量化	52.09	59.86	93.24	98.21	99.21
资源化	81.51	96.28	93.61	94.39	93.701
循环化	67.43	79.77	88.95	98.74	100

7.3.4　实证结果分析

1）对样本"猪—沼—X"养猪业生态产业链综合绩效的评价结果显示，近5年的绩效综合评价值分别为67.9、82.4、76.8、75.9、82.4。该养猪业生态产业链处于"较好"等级，然而其值波动较大，表明该养猪业生态产业链

2）经济绩效中，评价值最高的是 2008 年，这是因为该年猪价高涨，其经济绩效显著提升，这也是该年样本养猪业综合绩效评分较高的原因之一。2009年，养猪业由于金融危机而遭重创，受养猪市场行情影响，相较于 2008 年该企业经济绩效大幅度降低。面对经济危机，该企业盈利能力、资金营运能力和发展能力均大幅降低，这是由养猪企业的抵御市场风险的机制不完善，不具备应对风险的能力所导致的。2009 年经济绩效的明显降低是该企业 2009 年综合绩效分数低于 2008 年的主要原因之一。

3）社会绩效中，2011 年评价值最高，2008 年最低。2008 年，链内合作绩效值仅为 54.05，分值为 5 年中最低，这主要是由于 2008 年猪价高涨，大量合作农户采取机会主义行为，导致合作关系破裂，影响链内合作绩效进而降低了综合评价值；2011 年，由于社会绩效和环境绩效的双重改善，提升了其综合评价值。自 2008 年契约农户流动率达最高以来，其值基本不变，然而经济水平的不断提升，增加了农户收益，使得社会绩效提升；同时，环境绩效由于前几年的投入已略见成效，因而，环境绩效也促使了综合绩效的提升。

4）环境绩效中，分值最低的为 2007 年的 66.32 分，最高的为 2011 年的97.06 分，且呈逐年增加的趋势，其中 2009 年增加的幅度最大，这主要是由于其发展能力和资源利用能力的推动，资源减量化和循环化的效果显著。从总体上来看，由于循环经济思想的确立及科技研发投入，该养猪业生态产业链可持续发展能力逐步增强，目前处在一个较高的水平。

7.3.5 政策建议

1. 进一步树立养猪业循环经济的发展理念

由指标权重的分析可知，环境因素是影响养猪业生态产业链绩效的关键因素。为更好地发展养猪业，有必要强化发展养猪业循环经济的重要性和必要性，制定养猪业生态产业链绩效评价指标体系，促进养猪业生产方式转变。要通过教育和宣传及考核监督，引导养猪户树立新的资源观和生态价值观，倡导资源节约和环境保护的生产方式，增强养猪业与农业、种植业、渔业等的合作和关联度，形成资源节约、环境保护的循环经济模式，将环境外部性内部化，促进养猪业健康、和谐发展。

2. 建立健全政策支持体系，形成合理的利益分配机制

通过 *B* 层指标对 *A* 层指标的权重排序可知，链内合作关系是影响养猪业

生态产业链绩效的首要因素，具体体现在合作农户人均收入与链内主体利益分配公平度上。针对当前养猪业"公司+农户"模式难以为继的现状，政府一方面要引导农户以土地承包经营权、劳动力等参与合作，促使养猪企业与农户之间形成利益共享、风险共担的利益机制；另一方面要鼓励龙头企业采取建立风险资金、利润返还等形式，增强风险抵抗能力；此外，政府部门应对养猪企业和农户进行适时、适度补贴，减少经济危机影响。

3. 健全科技创新应用体系

养猪业生态产业链以猪粪便综合利用为核心，清洁技术是实现粪便资源化和循环化的重要条件，技术短板影响养猪业生态产业链的可持续发展；同时，科技投入指标权重排位第9，可见科技投入的重要性。健全科技创新应用体系，一方面是加大科技扶持力度，对在养殖污染排放技术、粪便资源化利用等方面取得显著成效的规模化猪场，给予优先扶持；另一方面，完善科技推广体系。壮大科技推广机构、建设科技示范研究基地，为资源减量化投入提供技术支持，以相关院校为依托，充分发挥农业科技推广部门的作用，提高畜牧业养殖户整体素质。

4. 加大金融扶持力度

通过对样本"猪—沼—X"养猪业生态产业链绩效综合值计算可知，2009年该企业经济受挫，资产管理能力较差，严重影响了其综合绩效水平；同时，与国外农业产业化龙头企业相比，该公司规模不大，抗风险能力和竞争能力都较弱。基于此，一方面，要积极推广和完善生猪养殖政策性保险，增强规模化猪场抵御市场风险、疫病风险和自然灾害的能力；另一方面，运用贴息等方式，鼓励社会资本参与养猪业循环经济建设，形成多元化的融资渠道。

7.4 结 论

对样本"猪—沼—X"的实际情况进行绩效评价实证分析表明：在指标权重排序中，环境绩效指标权重最大，社会绩效次之，相对而言，经济绩效的重要性最低；样本养猪业生态产业链2007~2011年综合绩效均处于"较好"状态，环境绩效稳步提升，但由于经济绩效波动较大，导致综合评价值波动较大。由此可见，养猪业生态产业链是一个涵盖多方面的复杂系统，具有动态发展特质，为了保证养猪业生态产业链的稳定和发展，企业必须在环境、经济和社会三个方面平衡发展。在保证环境绩效稳步提升的前提下，提升企业本身应对市场风险的能力和链内外合作的能力，从而提升经济绩效和社会绩效。然而养猪业生态产业链的健康发展，不仅仅是养猪企业的责任，更是当地政府不可忽视的两型社会建设的重要环节。政府可以通过进一步树立养猪业循环经济的发展理念、加大金融扶持力度、健全科技创新应用体系和政策支持体系等手段实现养猪业和谐、健康、稳定的发展。

第 8 章
我国养猪业生态产业链发展
长效机制研究

　　养猪业循环经济产业链是实施循环经济的有效载体，共生和协作是其根本特征。解决养猪业资源与环境矛盾的根本举措并不是依靠"末端治理"的环保措施，而是需要在养殖业与种植业之间建立紧密的生态产业链的长效机制。这些长效机制包括养猪业废弃物资源循环利用机制、生态环境价值补偿机制及共生利益分享激励机制。其中，废弃物资源循环利用机制是生态产业链的物质基础，生态环境价值补偿机制是重要的调控手段，共生利益分享激励机制是关键保障，三者缺一不可。因此，本章对实现养猪业生态产业链耦合的三大机制分别进行探讨（图8-1）。

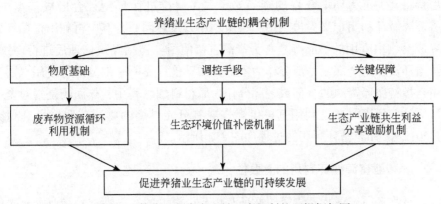

图 8-1　养猪业生态产业链三大机制的逻辑框架图

8.1 养猪业废弃物资源循环利用机制

8.1.1 养猪业废弃物资源循环利用的必要性

1. 养猪业废弃物资源循环利用的概念和过程

规模化养猪业产生的大量"废弃物"是放错了位置的资源，养猪业循环经济生态产业链要解决的核心问题是废弃物资源化利用，即如何变废为宝。刘维平（2009）认为资源循环利用是指在社会的生产、流通、消费中产生的不再具有原使用价值并以各种形态赋存的废弃物料，通过人们回收加工行为使其获得使用价值的再利用过程。陈德敏（2004）认为资源的循环利用是根据资源的成分、赋存形式和特性对自然资源综合开发、能源原材料充分加工利用以及废弃物回收再生利用，通过对各环节的有效控制，发挥资源的多种功能，使其转化为社会所需物品的生产经营行为。对此应当有两个基本认识：资源短缺和市场需求是资源综合利用的根本引导力量；资源循环利用的根本推动力是科技进步。每当新技术出现，总会开拓出新的资源领域及新的使用方式，推动资源综合利用不断获得广度和深度的发展。孟帮燕（2006）认为，资源循环利用是指自然资源的合理开发，能源原材料在生产加工过程中通过适当的先进技术尽量将其加工为环境友好的产品。日本在《推进循环型社会形成基本法》中将资源循环利用定义为再利用、再生利用以及热回收，其中再利用指循环资源（废弃物中有用的物品等）作为产品直接使用（包括经过修理后进行使用）以及循环资源的全部或一部分作为零部件或其他产品的一部分进行使用，再生利用是指将循环资源的全部或一部分作为原材料加以利用，热回收是指对全部或一部分循环资源通过利用其可供燃烧或有可能燃烧的物质获取能量（付允等，2012）。资源循环利用的过程如图 8-2 所示。

2. 养猪业资源循环利用的必要性

养猪业必须实现废弃物资源循环利用是由资源的有限性、养猪业废弃物的可利用性以及废弃物资源循环利用会带来生态价值和经济价值所决定的。

（1）资源的有限性决定中国养猪业必须实现废弃物资源的循环利用

中国的基本国情是人口众多，资源相对贫乏，生态环境脆弱。在资源存量和环境承载力两个方面都经不起传统经济形式下高强度的资源耗费和环境污染。如果沿用传统"三高"（高消耗、高能耗、高污染）粗放型发展模式，那

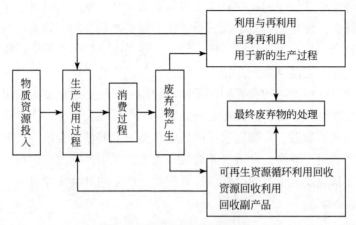

图 8-2　资源循环的利用过程

资料来源：何凯 . 2006. 资源循环利用的应用模型及政策研究 . 重庆：重庆大学硕士学位论文

么我国现有的资源和能源供给几乎不可能继续支撑高速的经济增长，严重影响社会经济发展的可持续性。所以，用现代科技找到更多后备资源的同时，必须不断开发资源综合利用技术，全面促进各种资源的循环利用（何凯，2006）。正因为如此，养猪业废弃物资源也必须得到循环利用。

（2）养猪业废弃物是可以利用的宝贵资源，必须实现废弃物资源循环利用

在发展规模比较大的畜禽养殖业时会排放大量的粪便，与工业固体废弃物相比，这些粪便的排放量是其 2.4 倍。相关研究表明，一个万头养猪场年排粪量 3000 吨左右，年污水排放量 30 000 吨左右，相当于一个 5 万～10 万人口的小城镇产生的污染排放量[1]。我国养猪业发展过程产生的粪便中含有很多营养物质，如氮、磷，它们是十分有价值的可以利用的宝贵资源。据测定，对一个万头规模化养猪场的粪污资源进行资源化利用，可以产生 7.3 万立方米的沼气，折合成原煤是 7.7 万吨，是非常宝贵的资源；如果把这些资源变成各种堆肥和商品有机肥可以替代 160 吨化肥，液肥的利用可以取代每亩土地中化肥用量的 42.7%[2]。这不仅可以使肥料营养物的流失率得到降低，也可以使生态保持平衡，土壤得到改良。所以，养猪业废弃物资源作为资源的一种也必须被循环利用。

（3）养猪业废弃物资源循环利用会带来生态价值和经济价值

养猪业废弃物资源循环利用的生态价值表现在养猪业废弃物资源循环利用

[1]　http：//www. doc88. com/p-1085942174656. html。

[2]　http：//www. doc88. com/p-4965453548824. html。

过程中不会或尽可能少的向外界排放养猪业废弃物，使人为对自然生态系统的破坏得到减少，使自然生态系统承受的压力得到减轻。对养猪业发展过程中产生的废弃物资源进行循环利用不仅会带来一定的生态价值而且会产生一定的经济价值。首先，它能够将废弃物资源化，增加其直接经济价值；其次，由于对养猪业发展过程中产生的废弃物进行循环利用，人们会逐渐减少向自然界排放所产生和堆积的废弃物，生态环境遭到破坏的可能性会减小，于是生态效益会得到间接增加；最后，人们直接耗用其他自然资源的情况会因实行养猪业废弃物资源循环利用而减少，存量资源增加，人类实现可持续发展的可能性进而增加，我国养猪业发展带来的废弃物被资源化所产生的社会收益得到了间接的增加（何凯，2006）。

3. 养猪业废弃物资源循环利用的特征

养猪业废弃物资源循环利用最关键的是要遵循循环经济内在发展的规律性，具有来说，体现在养猪业废弃资源循环利用的科技性、闭环性、整合性等基本特征之上。

（1）科技性

养猪业废弃物资源循环利用的出现和发展是以先进的绿色科技作为依托。科技的不断进步，能够实现更高效率和更大范围的养猪业废弃物资源循环利用，也能够进一步拓宽可供社会使用的资源领域，从源和流两个方面解决人类所面临的资源短缺和生态环境保护问题（何凯，2006）。养猪业生态产业链中流动的猪粪污不能简单排放到农田和鱼池里，而是要借助绿色环保技术手段进行有效的资源化利用，否则，如果处理不当，会造成更大的二次污染。

（2）闭环性

养猪业生态产业链中的物质和能量流动遵循循环经济的"3R"原则（reduce，reuse，recycle）。它不同于传统工业社会的经济的单向资源流动，即"资源—产品—废物"，而是采取"资源—产品—再生资源"的反馈式流程。这种反馈式流程把物质和能量的流动放在一个环路之中，对养猪业废弃物的理解有一个全新的解释，即"垃圾是可利用的宝贵资源，垃圾只是放错了地方的资源"，真正实现养猪业废弃物资源的循环利用。

（3）整合性

养猪业废弃物资源循环利用不仅仅是猪场的事情，也不仅仅是环保部门的事情，它还涉及工商、税务、科技、宣传等多个政府部门，同时也涉及种植业、渔业、加工业等多个相关主体，除了需要猪场对其废弃物进行最优化的处理、最大化的信息公开外，还需要政府有关部门作出明确的优惠政策，包括环保政策、税收政策、工商政策和舆论与宣传的导向等，需要其他相关主体力量的整合。某一个环节或主体出了问题，都可能降低养猪业生态产业链的耦合度。

8.1.2 养猪业废弃物资源循环利用模式

鉴于养猪业废弃物资源循环利用的必要性，学者们对其利用模式也有了深度的探索，综合而言，养猪业废弃物资源循环利用模式主要包括肥料化再利用模式、饲料化再利用模式和能源化再利用模式三种。

1. 肥料化再利用模式

近年来，直接施用、栽培食用菌利用以及堆腐后施用是发展养猪业过程中采用的对粪便进行肥料化再利用的模式（陈梅雪等，2005；林代炎等，2010；王希江等，2008；顾骅珊，2009；相俊红和胡伟，2006）。直接施用是指将养猪业发展过程中产生的新鲜猪粪堆沤后施于田里，为农作物的生长提供营养元素，或将土壤中的病害消除。直接施用的方法因为操作比较简便，而且不需要进行大规模的投资，容易被大多数农民认可、接受、利用。但是直接施用的方法会因猪的粪便中含有大量的水分而受到限制。栽培食用菌利用是指猪的粪便中含有丰富的元素，如氮、磷、钾等以及有机质，将其与一些辅料，如稻草、秸秆、无机肥料、石膏堆制发酵后，可以进行食用菌的栽培。将堆腐后的粪便进行施用，需要在人为的控制条件下进行，它是目前养猪业发展中进行粪便肥料化再利用的最为常用的模式（章明奎，2010）。

2. 饲料化再利用模式

目前，在发展养猪业的过程中会产生大量的粪便，对粪便可以进行饲料化再利用，粪便饲料化再利用的模式主要包括三种，它们分别是直接喂养、干燥法、热喷法（顾骅珊，2009；相俊红和胡伟，2006；昝林森和莫泽山，2007；任友安，2008）。直接喂养法是一种操作简便，而且实施后效果也比较理想的方法，但是在采取该种方法的时候要做好卫生防疫工作。很多西方国家采用了直接喂养法，它们首先将粪便与垫草混合起来，然后直接对奶牛进行饲喂。干燥法主要包括两种，一种是自然干燥法，另一种是机械干燥法。自然干燥法的具体实施步骤是首先对新鲜粪便单独拌匀或将其掺入糠麸后拌匀，然后将拌匀物摊在塑料布上或摊在水泥地面上，随时对其进行翻动，经过翻动后拌匀物会自然风干，最后对拌匀物进行粉碎，并将粉碎的拌匀物掺到其他饲料中用于发展养殖业。自然干燥法的优点是操作比较简便而且只需承担比较低的成本，缺点是天气对该种方法实施的影响比较大，且该种方法在实施过程中容易对环境造成一定的污染。机械干燥法是一种既可以灭菌、去臭又可以除杂草的方法，它需要采用相关设备实现干燥。热喷法是指将养猪业发展中产生的粪便进行两种处理即热蒸、喷放，使其组成结构以及化学成分均发生改变，最终得到具有利用价值的饲料。热喷技术投资少、能耗低、操作简便，具有广阔的利用前景（章明奎，2010）。

3. 能源化再利用模式

养猪业发展中产生的粪便可以进行能源化再利用，直接进行燃烧、乙醇化利用、沼气化利用等都是对猪的粪便进行能源化再利用的模式（王希江等，2008；相俊红和胡伟，2006；李燕，2008）。大量的沼气会在进行养猪业废弃物的厌氧消化过程中产生，有研究表明，在理论上 0.45 立方米沼气由 1 公斤 COD 产生。与石油液化气相比，沼气的热值要高一些，它是一种高效优质燃料。猪的粪便中富含许多生物质能，每头猪每天排出的粪便大约是 2.1 千克，每千克粪便能够产生 0.26 立方米沼气，全国存栏 4.94 亿头猪，每年产生的粪便大约相当于 500 亿立方米的沼气[①]。目前，我国大量实施沼气化利用，它是指将猪的粪便中的有机物通过受控制的厌氧细菌的分解转化成比较简单的有机酸，再将这些简单的有机酸转化成甲烷以及二氧化碳（李燕，2008）。现在我国的能源资源比较紧缺，燃油的价格一直没有下降，并连续上涨，人们非常欢迎养猪场废弃物经过厌氧处理产生的沼气，它是一种清洁、可再生能源。对猪的粪便进行沼气化利用可以代替一些不可再生资源，如煤、石油等，既可以实现资源的节约又能够对环境进行保护。

8.1.3 养猪业废弃物资源循环利用长效机制

养猪业废弃物资源循环利用长效机制是指能长期保证养猪业发展产生的废弃物资源得到循环利用并发挥预期功能的制度体系。它遵循养猪业生态产业链的循环经济规律，内在技术规律，不是一劳永逸、一成不变的，必须随着时间、条件的变化而不断丰富、发展和完善。此长效机制的建立能够真正实现废弃物资源循环利用，节约资源，减轻自然生态系统的压力，减少对自然生态系统的人为破坏，保护生态环境；有利于缓解人类所面临的资源短缺问题，减少经济增长与资源供给始终存在的尖锐矛盾，发展循环经济，支撑经济高速增

---

① http://www.doc88.com/p-4965453548824.html。

长，促进社会经济可持续发展。因此，应该采取以下措施建立养猪业废弃物资源循环利用长效机制。

（1）发展生态型农牧业，推广以沼气工程为纽带的生态农牧循环模式

如果要解决养猪业废弃物资源循环利用问题，可以将养殖业与种植业有机地整合在一个生态系统中。因此，必须建立综合式生态农业生产体系，用生态经济学的原理和规律，运用系统工程的方法来组织农、林、牧、渔各业生产（曹庆英等，2009），以便对废弃物资源进行多层次分级利用，并通过走"猪、禽、鱼、果、蔬"的立体养殖之路，实现养猪业废弃物资源循环利用。

以沼气工程为纽带的生态农牧业是一种资源节约型，环境友好型养猪模式，符合绿色发展、循环发展、低碳发展的理念，这种模式的具体实施措施主要包括以下几点：以沼气工程为纽带的生态农业应该受到各级党委、政府的高度重视，将其作为农业、农村工作的重要内容放到工作的重要议事日程上；由中央和地方财政承担建立沼气池、沼气输送管网及将维修护理、技术指导工作纳入政府相关职能部门管理所需的全部费用；政府可以重点扶持农牧结合的生态型养猪，也就是要改变过去的财政扶持对象和政策导向。如果农户施用畜禽粪肥和沼液、沼渣作有机肥，政府应该按施用量给予财政补贴；由于农牧结合的生态型养猪能大幅度降低碳排放量，国家应出台相关政策，将减排量作为地方政府碳排放考核指标，调动地方政府的积极性。要创造条件，并由政府引导组织进行碳交易（张心如等，2013）；党的十八大提出关于加强生态文明制度建设的要求，各级政府和有关部门应该按照这个要求把资源消耗、环境损害、生态效益纳入养猪业生产发展评价体系，同时，应该逐步建立和完善生态农牧循环养殖的相关法律、法规和技术规范体系。

（2）为养猪业废弃物资源循环利用的实施提供技术支撑

技术支撑在实施养猪业废弃物资源循环利用过程中具有十分重要的作用，它主要包括养猪污染源头控制技术，沼气化利用技术、沼气–堆肥技术、高附加值生物有机肥等资源利用技术、低成本污水处理与回用技术等，以及能从根本解决养猪业环境污染和资源利用问题的养猪场废弃物综合治理技术、养猪业循环经济生态利用技术等综合技术，这些技术为我国发展农牧业以及建设新农村提供了一定的技术基础，如沼蝇蛆养殖、蚯蚓堆肥、燃烧及炭化处理等。相关研究表明，蝇蛆具有十分高的营养价值，可以利用猪排出的粪便繁育蝇蛆然后再用富含高营养价值的蝇蛆喂养畜禽，这样既可以使养殖成本得到很大的降低，又能够获得十分显著的饲喂效果。蚯蚓堆肥处理是指首先对蚯蚓进行养殖，然后让养殖的蚯蚓对猪的粪便进行消耗，它们对猪排泄物中的各种营养元素进行吸取，获得富含高蛋白的蚓体副产品，最后用它们喂养动物，使得各种

被生物吸收的营养元素以及富含高蛋白的蚓体副产品能够被动物吸取，实现循环利用。燃烧及炭化处理是促进资源循环利用的技术，适用于猪的粪便中含有较少水分的情况。进行燃烧处理需要一定的设施，主要包括以下几种，第一种是火格子燃烧炉、第二种是流动床炉、第三种是回转式燃烧炉。炭化处理得到的炭化物可作为融雪剂、堆肥助剂及土壤改良剂等（章明奎，2010）。

（3）提高养猪业主体的资源意识、生态意识和环境意识

定期举办各种不同类型的养猪业废弃物资源循环利用培训班，对养猪业废弃物资源循环利用的主体养猪户进行培训，加大关于养猪业废弃物资源循环利用的教育培训。充分利用一些现代化的宣传工具，如广播、电视、报纸、互联网等，推出一些养猪业废弃物资源循环利用的科普知识和公益广告，加强养猪业废弃物资源循环利用的宣传。同时，要将养猪业废弃物资源循环利用的知识整理成册并予以下发，培养养猪户珍惜资源、充分利用资源、爱护环境的观念，提高他们的资源意识、生态意识和环境意识。

（4）加大国家财政倾斜的力度

在我国进行财政体制和投资体制改革的过程中，政府应通过公共财政加大对养猪业废弃物资源循环利用的支持力度，同时，在信贷等方面给予支持也是必要的。发挥税收这一杠杆的调节功能，制定针对实施养猪业废弃物资源循环利用的主体的税收优惠政策，这些政策的形式应该是多样的、手段应该是多种的。例如，在税收优惠手段上，可对进行养猪业废弃物资源循环利用的主体实行降低税率、提高起征点、定期减免等，在税收优惠形式方面，可以对这些主体采取直接优惠。

8.2 养猪业生态环境价值补偿机制

8.2.1 养猪业生态环境价值补偿的必要性

1. 养猪业生态环境价值补偿的概念

生态环境价值补偿机制是指依据一种价值、两种成本（生态系统服务价值、生态保护和发展机会成本），通过两种手段（行政手段、市场手段），对保护和建设生态环境有关的各方之间的利益关系进行调整。它的目的是实现生态环境保护和人与自然和谐相处。生态环境价值补偿实质上就是将经济活动所产生的负外部性（外部性分为正的外部性和负的外部性，其中负的外部性是指某一经济主体的生产生活消费使其他经济主体受损但是没有给予补偿）内

部化，让生态产业链主体经济活动的个人成本与社会成本相一致。养猪业生态产业链的生态价值补偿机制不同于一般的排污收费，现有的排污收费制度建立的初衷是控制工业污染，主要通过一系列措施控制量大且集中的企业排污活动，而养猪业排放所形成的面源污染具有分散性、隐蔽性、随机性、不确定性、广泛性和不易检测性，因而难以监管。此外，一般而言，排污收费制度是外部不经济性内部化的制度措施，生态补偿制度是外部经济性内部化的制度措施，两者具有互补性和互补替代性。其原因是对链上的污染物的处理方式是作为再循环利用资源来处理，实际运作中，要协调产业链上不同主体的利益诉求以及养猪业生态环境作为公共利益的社会诉求。

2. 养猪业建立生态补偿机制的必要性

无论从经济学理论的角度，还是从实现可持续发展战略、养猪业是弱势产业、资源消耗型及环境污染型产业角度来看，发展养猪业都必须进行生态环境价值补偿。

（1）从经济学理论的角度来阐释

以"庇古税理论"和"科斯定律"为代表的福利经济学说认为资源不合理利用和环境污染的原因在于外部性，而外部性问题的实质在于双方产权界定不清。因此，解决养猪业外部性问题需要明确产权，引入养猪业生态补偿机制来消除养猪业外部性对资源配置的扭曲影响，使养猪业外部性生产者的私人成本等于社会成本，通过政府税收等方式要求养猪业外部性生产者补偿社会总成本与私人成本之间的差额，实现外部成本内部化，避免社会福利损失，从而提高整个社会的福利水平（蔡邦成等，2005；赖力等，2008）。产权经济学说认为通过养猪业生态补偿体现超越产权界定边界行为的成本，或通过市场交易体现产权转让的成本，从而引导养猪业主体采取成本更低的行为方式达到自然资源产权界定的最初目的，使自然资源和环境被适度持续地开发利用（毛显强等，2002）。利益博弈学说认为养猪业生态补偿是为了走出生态"囚徒困境"的制度安排，通过建立养猪业生态补偿激励机制，来协调和解决环境权与生存权和发展权之间的冲突（俞海和任勇，2007）。

（2）养猪业生态环境价值补偿有利于实现可持续发展战略

我国可持续发展的战略目标为"控制环境污染，改善生态环境，保护可持续发展利用的资源基础"。但由于我国自然环境差异巨大，人口数量居世界首位，人均自然资源远远低于世界平均水平。加之长期的粗放式管理，资源利用率低，消耗量大，导致资源枯竭，生态退化，环境恶化，已严重阻碍了社会经济的发展。因此，建立养猪业生态环境价值补偿机制，将从以行政手段为主转变为以综合运用四种手段，即法律手段、经济手段、技术手段和行政手段为主，有利于可持续地利用宝贵的资源，有利于推动建设环境友好型社会，有利于促进各个地区和各种利益群体之间的团结、友好发展。养猪业生态环境价值补偿机制是树立科学发展观，实施可持续发展战略的基本要求。我国实施养猪业生态环境价值补偿，由养猪业的受益者向生态环境建设者提供经济补偿，使生态建设者牺牲的经济损失控制在其能够承受的范围内，激发他们进行生态建设的积极性。此外，还可理顺生态关系和利益关系，实现合理的社会分工与利益互补。因此，建立养猪业生态环境价值补偿机制有利于实现可持续发展战略（白宏兵等，2006）。

（3）养猪业是一种弱势产业

养猪业是一种弱势产业，在发展过程中，生产、市场风险是这一弱势产业面临的不同风险。其中，生产风险是指养猪业在生产运输过程中因自然或技术原因，如疫病、生产模式、自然灾害等会给养猪业带来一定损失的各种风险因素，这种风险一般对养猪业造成的危害比较严重。市场风险主要是指由供需矛盾引起的风险、国民经济宏观调控引起的风险，这些风险都会直接导致养猪业、养猪主体的利润减少，它是一种潜在的、非人力可以控制的风险。为了发展养猪业循环经济，大型规模猪场需要承担、支付一部分费用构建合适的养猪业污染处理装置或购买养猪业污染物处理设备，专门对污染物进行最大化处理，使之无害化，这种做法使养猪场的成本得到一定增加，造成其资金不能顺利周转，导致养猪业生态产业链出现断裂。因此，有关政府部门要采取合理的措施，如建立有效的养猪业生态环境补偿机制，对养猪场进行适当的补偿和扶持。

（4）养猪业既是一种资源消耗型产业，又是一种环境污染型产业

相关研究表明，一头猪每天排出的粪尿大约为 6 千克，那么这头猪一年产生的粪尿大约是 2.2 吨。现在，大部分养猪场采用水冲式这一方式清除粪便，那么，饲养一头猪一天排放的废水总量大约是 30 千克，一年排放的废水总量大约为 11 吨[①]，这些养猪场废弃物中的高浓度有机物、高氨氮会对水体造成污染，并使之营养化，此外，养猪场的粪便污染物中还含有很多病菌、寄生虫卵，养猪场会散发十分难闻的恶臭等，造成大气污染、水体污染、土壤污染。养猪业发展会产生污染，污染特征与工业发展带来的污染具有的特征十分不同，它是一种面源污染，这种污染的污染面十分广、危害十分大，对养猪业实现可持续发展起到了一定的阻碍作用。而养猪业污染又难以进行监管和治理，

---

① http://www.doc88.com/p-0476869121289.html。

不适合采用简单的工业污染末端治理制度和措施，需要建立能够产生激励作用的生态补偿机制和模式来解决监管和治理成本高的难题。

8.2.2 养猪业生态环境价值补偿的实现模式

养猪业生态环境价值补偿的实现模式（图 8-3）主要有以下三种，即财政转移支付模式、反哺式模式和混合模式。

1. 财政转移支付模式

财政转移型生态补偿的实质就是政府在公平基础上将部分财政收入进行重新再分配的过程，再分配的形式是多种多样的，包括补贴和奖励等形式。实际上，公益劳动行为和保护生态环境行为都应该获得一定的报酬支付或补偿（王幸斌等，2007）。养猪业生态产业链耦合的前提是要考虑环境的承载能力，而不是经济利益最大化，尤其是在短期内，规模型猪场需要拿出一部分费用构建污染处理装置，专门对污染物加以处理，使之无害化，这必然增加了成本，短期内无法收回效益，势必会造成猪场的资金链周转困难，致使养猪业生态产业链的断裂，因此，政府应采取财政转移支付的方式对这类猪场加以资金补贴，一来能够使其正常运转，二来能够产生示范效应。

2. 反哺式模式

养猪业生态产业链中猪场处于上游位置，其产生的污染物作为再循环利用的资源传递给下游（沼气池、种植业、渔业等）的前提是对污染物进行无害化处理，这就出现两种情况：其一是由猪场进行处理后，传递给下游；其二是传递给下游后由下游处理。而这两种处理方式的实质是治理污染费用在产业链上下游企业之间的相互转嫁。反哺式模式就是指在相对独立但生态关联性高的生态系统中具有受益者和损益者，受益者按适当比例对损益者进行补偿。反哺式模式的实质是企业之间的补偿，养猪业生态产业链受益者和损益者之间的平衡点也是其耦合的关键点。

3. 混合模式

这种模式是以上两种模式的结合，即在对养猪业生态产业链进行生态价值补偿时，既要有来自政府的补贴，又要有来自产业链上下游之间的反哺。这种模式具有一定的灵活性，具有以上两种模式的优点，但缺点是这种补贴模式加大了计算的难度，容易造成政府与产业链之间对其补贴的相互推诿，而政府在其中处于"强势"地位，最终使得产业链主体承担了不该承担的补贴费用。

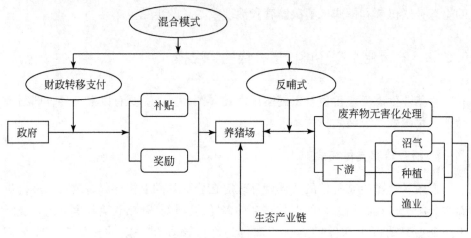

图 8-3　养猪业生态环境价值补偿的实现模式

8.2.3　养猪业生态环境价值补偿长效机制

　　养猪业生态环境价值补偿长效机制就是协调相关链上主体的环境利益及其经济利益分配关系，是改善、维护和恢复生态资源价值系统的一种补偿体系。它遵循外部性内部化规律，与面源污染的特点紧密相关。建立此长效机制具有极其重要的意义。它是提高生态环境保护能力、维护生态屏障安全、增加养猪主体收入、协调区域经济发展、促进生态公平与社会公正的重要经济手段（刘兴元，2012）；它是协调养猪业受益者与受损者之间的利益关系，为养猪业发展提供稳定的资金来源的重要保障；它是西部地区贯彻"生态立省、环境立省"发展战略的迫切需要（刘慧琴和郑元宁，2011）。正因为如此，需要采取以下对策建立养猪业生态环境价值补偿机制。

　　（1）加强理论研究，征收生态补偿税

　　目前很多学者对生态环境价值补偿进行了大量的原理性探讨，但是对具体的某个地区、流域生态环境价值补偿的实践探索相对较少，被实践检验可行的生态环境价值补偿技术方法、政策体系尤其缺乏。因此有必要在部分猪场开展试点工作，积极探索并最终建立合理的、可操作的养猪业生态环境价值补偿标准体系、方式以及渠道等，为生态环境价值补偿机制的全面建立提供方法和经验。用理论指导实践，应加强有关养猪业生态环境价值补偿政策的基础理论和国外相关政策的研究，并积极探索适用于养猪业的生态税收政策。在加大对养猪业排污费征收力度的同时，逐步实行费改税，同时应抓紧建立与市场经济相适应的养猪业生态环境补偿税制度，对产生环境污染的猪场征收适当的生态环境补偿税，设立固定的养猪业生态环境保护与建设资金渠道，改变以往无偿、低价使用生态环境容量的做法，实现生态环境保护与建设投入的规范化、社会化和市场化（白宏兵等，2006）。

（2）加快制定生态环境价值补偿标准

关于养猪业生态环境价值补偿主体和客体的确定，目前国内理论界基本上达成了一致，也就是关于谁补偿、给谁补偿的问题已经比较明确。而养猪业生态环境价值补偿标准的制定是保证生态补偿机制公平性和可行性的重要环节，是实施养猪业生态补偿的关键和难点，也是建立养猪业生态环境价值补偿机制的核心问题。同时，确定养猪业生态环境价值补偿标准是补偿主客体之间的一个复杂博弈过程。如果补偿标准过高会增加补偿主体的负担，影响其发展后劲。但补偿标准过低则无法满足补偿客体发展的需求，也会影响生态屏障保护的预期效果。国内外确定补偿标准的方式因条件和地域而有差异，方式多种多样，具有代表性的方法主要有以下几种：以生态建设成本与生态效益差额作为生态补偿的标准（Nick，1997）；以生态重建成本作为补偿标准（欧名豪和董元华，2000）；以生态系统服务价值为上限，牧民损失的机会成本为下限，介于受偿者的机会成本与其所提供的生态服务的价值之间的补偿标准（熊鹰等，2004）；以机会成本确定补偿额度（Simon and David，2005）；以生态足迹的差异及生态保护价值确定补偿标准（章锦河等，2000）；经营者和受益者协商后，由权威机构根据经营者和受益者提出的补偿额。采用双向竞卖和最终开价仲裁法确定补偿额大小（蔡邦成等，2005）；以生态损失量与补偿期限以及道德习惯等因素确定补偿标准（粟晏和赖庆奎，2005）。目前，国内外普遍采用的是通过成本估算、生态服务价值增量、支付意愿和支付能力4个方面的综合考虑来确定养猪业生态环境价值补偿标准（郑海霞和张陆彪，2006）。

（3）确立养猪业生态环境价值补偿的主体

在发展养猪业时采取"清洁生产技术"会使养猪户遭受一定的经济损失，但会使环境得以改善，产生正的外部性。为激励养猪户采取该技术，社会应给予他们一定的补偿。政府作为社会公众的代表，应该成为生态补偿的主体，而采取"清洁生产技术"的养猪户则应该成为补偿客体。如政府进行补贴建造包括沼气池在内的处理设施是一种切实可行的手段，也是影响养猪户采纳沼气行为的重要因素，扩大补贴范围，增加补贴额度，可以有效刺激规模养猪户采纳沼气技术，维护农村环境卫生安全和生态平衡（王克俭和谭莹，2010）。

（4）完善养猪业生态环境价值补偿机制的保障体系

相关政府部门要建立生态环境损害责任终身追究制，完善相关生态污染治理和生态环境价值补偿法规，解决猪场生态环境价值补偿的法律地位并明确有关税收、财政转移支付和补偿资金筹集、调配、运作和管理等政策方面的问题，依法制定环境保护规划和资源综合利用规划，明确猪场的责任、权利、义务和利益。另外，建立生态保护和建设的财政转移支付制度。财政对环境保护的投入是最直接的生态补偿。近年来，我国财政环保支出逐年快速递增，但从支出结构看，对生态补偿的研究和投入比政府大搞生态工程建设的投入要少很多。而事实上很多地区的生态保护实践证明：在尊重自然规律并能够充分调动广大地区保护环境的积极性的前提下，一些地方已经退化的生态系统恢复起来比想象中的要更快，与自上而下的生态工程建设相比，花钱要少得多。因此，在今后中央和地方的财政环境保护支出中，投入生态补偿的比例要得到提高。

（5）采用多种形式相结合的有选择性的补偿方式

目前常用的生态补偿方式主要有：资金补偿，即给采用"清洁生产技术"的养猪户一定的补偿资金，保障其收益，这是最常见的补偿方式；实物补偿，即补偿主体利用物质形态的物品，如新品种、新生产工具等对客体进行补偿，实物补偿有利于提高物质使用效率；技术与智力补偿，即研发新的"清洁生产技术"，并将其推广和投入使用是一种技术补偿，对养猪户进行环保教育，提供无偿的指导、咨询是一种智力补偿；政策补偿，即上级政府对下级政府、对补偿对象的权力和机会补偿等。设计补偿的配套政策应充分结合养猪户意愿，采用多种形式相结合的、有选择性的补偿方式（裴永辉等，2009）。

8.3　养猪业生态产业链共生利益分享激励机制

8.3.1　养猪业生态产业链共生利益分享的必要性

1. 养猪业生态产业链共生利益分享的概念

养猪业生态产业链共生利益分享是指链上的各个主体将一定时期内一起创造和实现的利益按照一定的原则进行分割和分配的过程，它是养猪业生态产业链耦合的内在要求。养猪业生态产业链的兴起和蓬勃发展，正是根源于各参与主体对产业的投入能够得到满意的回报和收益。这在客观上就要求参与者在养猪业生态产业链上获得的效益应大于未参与之前的效益，产业链的总体效益应大于未构建前各主体的效益之和。养猪业生态产业链是由不同的经济利益主体联结起来的，如果利益关系处理得不好，链条就会不稳甚至断裂。

2. 养猪业生态产业链利益分享的必要性

养猪业生态产业链共生利益分享能够激励链上的各个参与主体，防止生态产业链共生系统的相变，提高生态产业链整体效益，有利于养猪业的可持续发展。

（1）养猪业生态产业链共生利益分享能够激励链上的各个参与主体

各个主体参与生态产业链的最大的动机就是利益，公平合理的利益分享是持续降低养猪业生态产业链成本和提高生态产业链产品或服务质量的有效激励手段。即使在没有外在强制力的条件下，如果制定的养猪业生态产业链共生利益分享机制能够公平合理地分配生态产业链共生能量，各节点的参与主体也愿意自觉实施有利于生态产业链的行动，他们这样做的原因是它同时符合链上各个参与主体自身利益最大化的原则。

（2）养猪业生态产业链共生利益分享可以防止生态产业链共生系统的相变

共生系统的相变是指系统从一种状态向另一种状态的转变过程，共生系统的相变就意味着养猪业生态产业链的不稳定甚至解体。这个转变取决于共生能量的非对称分配，共生能量的不匹配分配及全要素共生度的变化，是共生系统相变的基本原因。Hoffmann 和 Schlosser（2003）通过实证方法研究了一些整体绩效较好，但最终却解体的供应链，结果表明：成员企业认为收益分配的不公平是导致供应链解体的原因。由此可见，供应链稳定的最大障碍就是供应链共生能量没有在供应链节点企业之间公正、合理分配，使得供应链节点企业感到自己没有从供应链之中得到公平合理的回报，从而消极懈怠，甚至作出有损供应链的行为，造成供应链利益的流失。而养猪业生态产业链与供应链类似，因此，为了避免此类情况发生，在养猪业生态产业链上，就要求生态产业链各节点参与主体树立共赢的观念，以互利为基础，建立合理的利益分享机制，使生态产业链各节点参与者保持持久的合作热情，最终提高养猪业生态产业链的盈利和竞争力，使其保持长久稳定。建立一种有效、合理的利益分享机制，不仅有利于实现生态产业链资源的有效配置，提高其整体效率，而且还有利于生态产业链稳定持久的发展（张珊红，2008）。

（3）养猪业生态产业链共生利益分享能够提高生态产业链整体的效率和效益

养猪业生态产业链组建的目的就是通过生态产业链节点参与者的良好协作，优势互补，在实现整个系统效益最大化的同时实现各节点参与者利益的最优化。节点参与者对生态产业链的贡献大小直接影响生态产业链的运作效果。参与者在生态产业链中发挥的作用既取决于参与者的能力，也取决于他们的动机。在现实中，一般生态产业链中的每个阶段都有着独立的参与者，他们总是在考虑尽量减少自己的成本以期获得利润的最大化。这样单独的决策结果使得整个生态产业链里的利润无法实现最大化，从而导致生态产业链缺乏协调性。因此，一个生态产业链是否能够成功地协调运作，取决于链中的所有参与主体在作出经营决策的时候是否考虑到生态产业链整体利润的最大化。如果节点参与者利用自己的优势地位采取压榨其他参与者来增加自身利益的方式，这样就会造成生态产业链利益分享偏离均衡，不仅难以增加整体的利益和各自的利益，严重的还会造成链条的解体，使得生态产业链共生系统发生相变。如果进行合理的养猪业生态产业链共生利益分享，则他们的积极性就会被调动起来，动机被激发，则他们对生态产业链的贡献就越大。如果这种分享机制使节点参与者能够得到甚至超越与自己贡献相匹配的合理的共生能量，就可以使生态产业链各参与主体积极主动地参与养猪业生态产业链资源的有效配置，提高生态产业链资源的利用效率，生态产业链的协同优势就得以充分发挥，最终提高其整体效率和效益（张珊红，2008）。

（4）养猪业生态产业链共生利益分享有利于社会经济的发展及和谐社会的构建

利益分享和利益独占是两种完全不同的经济观。利益独占否认经济个体的差异性，否认经济个体的自主性和特殊经济利益要求，从而否认存在分享的必要性。而在养猪业中，生态产业链共生利益分享的新经济观以"鼓励个体，增强整体"的新的利益追求方式取代了传统的"否定个体，保证整体"的利益追求方式。这种利益分享的新经济观，由于充分尊重养猪业生态产业链上经济个体的经济利益要求，肯定对自身经济利益的追求是生态产业链上经济个体的最主要的经济动机，也就形成了一种各经济主体"各就各位，各得其所"的新的利益格局。这种新格局有利于调动全社会每一个养猪业生态产业链上经济主体的积极性，因为它赋予了每个经济体必要的权利和义务。这样，对自身利益的追求极大地激发了养猪业生态产业链上经济个体的活力，并使整个社会经济充满了蓬勃生机。这种养猪业生态产业链共生利益分享的新经济观，还有助于建立起一种新的集中与分散相结合的经济管理体制，"各就各位，各得其所"是这个新体制的主要特征。在这样一个新体制中，每个生态产业链上的经济个体都将找到适合于自己的位置，从而使整个社会经济生活纳入一种新的均衡与和谐之中（李炳炎，2007）。

8.3.2　养猪业生态产业链共生利益分享的模式

关于生态产业链利益的分配模式，常见的形式有产出分享模式、固定支付模式以及混合模式（方青，2004；叶茂，2008）。养猪业生态产业链的利益分配可以借鉴这三种分配模式，但更应该提高生态产业链的管理水平，建立现代企业制度，使分配方式趋于多样化、合理化。政府要通过法律、法规的约束，规范养猪业生态产业链利益分配机制，调节各方的关系，使各方实现风险共担，利益分享。

（1）产出分享模式

这种模式是指养猪业生态产业链的各个主体按照投入的比例或其他约定的分配比例从共同的总收益中分得自己的一份收益。这种养猪业生态产业链共生利益分享模式有利于调动生态产业链上的各个主体的积极性，促进养猪业生态产业链的发展。

（2）固定支付模式

这种模式是指养猪业生态产业链的各个主体根据事先协商好的酬金从最后创造的共同总收益中收取固定的报酬。在这种模式下，一般是核心企业（规模型猪场）支付给链上一般企业（其他主体）固定报酬，然后，核心企业再享有剩余的全部利润。

（3）混合模式

这种模式是前两种模式的结合。在这种模式下，养猪业生态产业链的规模型猪场既向其他成员支付固定的报酬，也按一定的比例（投入比或事先约定的比例）从总收益中抽取一部分支付报酬，这部分报酬也称为"浮动报酬"，即"固定报酬+浮动报酬"模式。在实际运作中，这种模式具有很大的灵活性，也具有一定的激励性。

8.3.3　养猪业生态产业链共生利益分享的长效激励机制

养猪业生态产业链共生利益分享的长效激励机制就是激励链上的各个主体将一定时期内一起创造和实现的利益按照一定的原则进行分割和分配的制度体系。它与共生原理、利益相关者原理相关，解决的是链上利益相关者的利益共享、风险共担的问题。它的建立有利于生态产业链整体效率和效益的极大提高，有利于养猪业生态产业链稳定持久地发展，有利于整个经济的稳定持续发展及和谐社会的构建。因此，建立养猪业生态产业链共生利益分享的长效激励机制十分必要，其具体建议如下所述。

（1）注重物质激励与精神激励相结合

人的需要是多方面的，精神激励与物质激励之间具有替代性，影响养猪业生态产业链上参与主体行为的并不完全是经济利益。因此，仅仅从物质利益激励的角度来考虑激励机制的设计，会有相当的片面性。作为有意识、有感情、有着一定文化品位的养猪业生态产业链参与者，不仅需要物质激励，更需要丰富的精神激励。所以还应该从舆论形成、市场氛围及政府行为等诸方面宣扬养猪业生态产业链参与者的业绩，营造参与者适宜的生态环境，承认和尊重养猪业生态产业链参与者人力资本的价值，使生态产业链参与者在社会财富积累过程中所作出的贡献得到社会的认可与尊重，从而使他们在精神上获得极大满足，这将提高养猪业生态产业链参与者的积极性（陈智民和郑海鳌，2005），提高养猪业生态产业链的经济效益，为生态产业链共生利益分享提供可靠的经济保证，激励养猪业生态产业链共生利益分享。

（2）为长效激励机制的建立提供组织保障和制度保障

成立养猪业生态产业链共生利益分享的长效激励推进考核机制，统筹管理，为推进养猪业生态产业链共生利益分享长效激励机制各管理模块工作成立相关领导小组，如养猪业绩效考核领导小组、养猪业长效激励约束项目领导小组等。养猪业生态产业链共生利益分享的长效激励推进委员会的小组成员根据各自不同的分工承担不同的职责。长效激励推进委员会负责养猪业生态产业链共生利益分享长效激励机制的建立和实施；对建立养猪业生态产业链共生利益分享长效激励机制的关键任务分解提供专业意见及建议；从养猪业运营管理角度制定统一的专业支持及服务计划，推进长效激励机制工作的持续展开。就制度保障而言，要结合养猪业实际事先做好防范及预估，防止为了激励而使养猪业生态产业链参与主体的工资增长过快及超前化。而且，养猪业生态产业链参与者的固定工资过快增长会导致养猪业的人工成本居高不下，从而将会给养猪业的发展带来永久性的包袱及后患，同时养猪业生态产业链绩效工资的长效激励也将失去其应有的作用。因此，在制度的建设上要对养猪业生态产业链参与者的固定工资增长幅度进行明确规定及刚性的约束（李晶晶，2005）。

（3）培养大量优秀的养猪业生态产业链参与者

大力培养优秀的养猪业生态产业链参与者可以采取以下措施。吸引充满活力的、有自我激励能力的和那些可被激励的养猪业生态产业链参与者。养猪业循环经济需要既懂技术又懂经营的新型农民的引领与示范。另外，加强对新型农民及养猪业生态产业链参与者的培训。对养猪业生态产业链参与者的时间和金钱投入是一项立足于养猪业生态产业链长期发展的投资活动。在知识经济飞速发展的时代环境下，养猪业生态产业链参与者需要不断更新知识和技术，养猪业生态产业链管理者需要为这些参与者创造宽松自由的学习环境和条件，针对养猪业生态产业链参与者不同发展阶段提供不同的养猪业培训计划内容，包括养猪业生态产业链内部职业培训和参与者的交流、组织养猪业循环经济模式的观摩等，为养猪业生态产业链参与者的学习和交流提供更好的平台，鼓励自主创新，培养更多优秀的新型养猪专业户和养猪产业经营管理者。

（4）建立良好的养猪业生态产业链利益攸关者契约机制

养猪业生态产业链利益攸关者之间大多通过经济契约联系，它是养猪业生态产业链利益攸关者间最基本的关系，在经济契约中，养猪业生态产业链利益攸关者之间的承诺是建立在具体的物质利益上的，这种简单的交换关系可以满足养猪业生态产业链利益攸关者的大部分需求，养猪业生态产业链利益攸关者的需求得到满足后会采取有利于养猪业生态产业链发展的行动。在构建良好的养猪业生态产业链利益攸关者经济契约的同时还要建立养猪业生态产业链利益攸关者心理契约。养猪业生态产业链利益攸关者心理契约是养猪业生态产业链利益攸关者在雇佣关系中彼此对对方提供的各种责任的知觉，这种知觉或来自对正式协议的感知，或隐藏于各种期望之中。这种责任的彼此感知对养猪业生态产业链利益攸关者激励提供了基础，使得通过改变养猪业生态产业链利益攸关者的认知方式来激励他们成为可能，并由此引导养猪业生态产业链利益攸关者的行为朝养猪业生态产业链期望的方向发展。

8.4 结　　论

目前，养猪业与资源环境之间的矛盾越来越尖锐，这就更加急迫地需要在养殖业与种植业之间建立紧密的利益联结机制，着力提高组织化协作程度，寻求经济理性与生态理性的有机融合，建立起共生和协作的养猪业生态产业链。我国养猪业只有把生态链与产业链进行有机整合，建立农牧一体化的养猪业循环经济发展模式，才能从根本上缓解资源环境压力，促进养猪业可持续发展。解决养猪业资源环境问题，既要遵从自然生态规律构建生态链，又要遵从养猪产业发展的经济规律构建产业链，更要从制度层面建立起促使养猪业生态链与产业链"两链耦合"的长效机制，充分调动利益攸关者的积极性，才能保证养猪业循环经济的可持续发展。而这些长效机制，就包括养猪业废弃物资源循环利用机制、养猪业生态环境价值补偿机制、养猪业生态产业链共生利益分享长效激励机制等。其中，废弃物资源循环利用机制是物质基础，生态环境价值补偿机制是重要的调控手段，生态产业链共生利益分享激励机制是关键保障。

第9章
推进养猪业循环经济生态产业链
发展的对策建议

中国是生猪生产、消费大国。目前，我国养猪业还未从根本上摆脱"高投入、高消耗、高污染、低效益"的粗放式发展模式，造成了严重的"畜产公害"，随着养猪业快速发展和饲养规模增大，养猪业产生的环境污染的威胁将愈发严重。如何既治理养猪业"畜产公害"的环境污染，又能促进养猪业的可持续发展，一直是我国养猪业转型发展需要解决的两个核心难题。发展养猪业循环经济成为养猪业转型发展的重大选择，需要从科学规划、经济杠杆、政策法规、绿色技术、生态文明制度建设等各个方面合力推进。

9.1 加快农业转型发展，大力推进养猪业循环经济发展

"十二五"时期是我国养猪业转型发展的关键时期，发展养猪业循环经济，对于加快转变养猪业发展方式，破解养猪业发展与资源环境的尖锐矛盾，促进农牧一体化，减少面源污染，提高畜产品质量与人畜安全，促进养猪业可持续发展，都具有重要的现实意义。

9.1.1 树立养猪业循环经济发展理念，促进养猪业转型发展

养猪业废弃物污染有三个不同于工业污染的特点。一是养猪业废弃物主要是粪便、污水等有机物质，可以综合利用作为肥料还田或者制取沼气、发电等用途。畜禽养殖废弃物绝大多数可以通过资源化再利用，变废为宝，减少废弃物排放，甚至实现污染物的零排放。二是养猪业所形成的面源污染，不同于工业的点源污染，具有分散性、隐蔽性、随机性、治理难度大和不易监管等特点，因此，养猪业污染难以采用工业污染防治的治理模式，需要采取源头治理和过程控制（徐国梅和张雷，2011）。三是，养猪业与种植业是农业的有机组

成部分，与自然环境具有天然的耦合联系，是自然再生产与经济再生产的统一，易于形成循环经济产业链。因而养猪业治理污染显著区别于工业治污，养猪业废弃物可以进行资源化综合利用，变废为宝；养猪业易于和种植业等形成农牧一体化的循环经济模式；因此，要解决养猪业环境污染问题不能用传统的工业"末端治理"技术，而要采用源头控制、综合防治的原则，遵从循环经济规律，从根本上消解养猪业发展与资源环境之间的矛盾，加快转变生产方式，大力促进养猪业与种植业、渔业等的紧密结合，形成养猪业循环经济产业链、生态养殖园区和生态农场，通过大力发展养猪业循环经济技术促进养猪业转型发展。把促进养猪业转型发展与治理畜禽养殖污染两个目标有机结合起来，从根本上解决养猪业环境污染问题，促进养猪业污染防治和可持续发展的双重目标任务的实现。

9.1.2 发展养猪业循环经济产业链，做好统筹规划是关键

在"菜篮子工程"的驱动下，我国养猪场朝规模化、集约化方向发展，导致农牧分离是形成养猪业污染的主要技术根源。在我国由于土地资源的制约，大部分规模化养猪场没有相应的配套耕地去消解排放物，造成了比较严重的农牧脱节现象（王俊能等，2012）。为兼顾环境保护和促进养猪业发展的目标，各级政府要认真做好养猪业发展规划。为此，在国家层面上，根据我国农业战略格局，制定科学合理的地区养猪业发展规划，实施区域种养平衡一体化，有计划、有步骤地推进养猪业循环经济的发展；在区域层面上，根据地区发展总体规划以及养猪场的数量、规模，评估猪场的环境承载力，制定禁养区、限养区和宜养区，地方政府根据实际需要，划定本地区的畜禽养殖品种、规模、总量等限制养殖区域，做到能就地、就近消纳污染物；在企业层面上，因地制宜，合理规划设计，保证人畜分离、饮排分离、雨污分离、干湿分离等"四个分离"，配套建立具有相应加工（处理）能力的粪便污水处理减量和储存设施，解决养殖粪便产生与农业生产利用时空不协调的问题，实施清洁生产。坚持农牧结合、种养平衡的原则，遵循"资源化、减量化、无害化、生态化"的原则，使猪粪便得到多层次的循环利用，既可避免环境污染又可提高土壤肥力。

9.2 加大政策扶持力度，加快推广养猪业循环经济模式

养猪业是弱势产业，面临着价格波动、成本上升、环保压力、疫病灾害等

经济风险、环境风险、市场风险和养殖经营风险，以及利润稀薄等多重经营压力。而养猪业保证了猪肉产品的每日供应，事关国计民生，因此，治理养猪业"畜产公害"要考虑在实现治理污染、改善环境的同时，最大限度地减轻企业各种负担，确保养猪业能生存并能可持续发展，保证猪肉产品的有效供给。养猪业污染需要多采取激励政策，大力促进养猪业循环经济的发展，从源头上防治污染。各级政府要积极发挥服务功能，重在政策激励和引导扶持，实行各项税费减免和优惠等方式，尽量发挥经济杠杆的激励作用，实现养猪业生产方式的转变，减轻环境污染。

9.2.1 建立激励机制，加大财政、金融、税收等服务扶持的力度

各级政府部门要构建有效的养猪业治理污染、发展循环经济建设的激励机制和政策，包括养猪业循环经济和环境污染治理工程的项目支持、税收减免、税收优惠、贴息补贴、优先融资、财政补贴等政府激励措施。鼓励和支持畜禽养殖场、养殖小区建设沼气、有机肥生产等废弃物综合利用，以及沼渣、沼液输送和施用等相关配套设施，鼓励环境保护、清洁生产等相关资金支持以及污染治理贷款贴息补助。畜禽养殖污染防治设施运行用电享受农用电价格。利用畜禽养殖废弃物发电、制取沼气的农户和企业，依法享受国家规定的上网电价等优惠政策等。充分调动农户、企业建设养猪业循环经济、清洁生产、资源化利用的积极性。加大养猪业节能减排的力度，减轻养殖户或养殖企业发展循环经济和治理污染所产生的经济负担，同时提高养殖户或养殖企业可持续经营发展能力。

政府通过农村信用社、地方银行、村镇银行、小额信贷、贴息补助、成立养殖业发展基金和提供养殖保险服务等多种灵活形式，逐步完善发展生态文明资金支持政策，对养猪农户和养殖企业发展循环经济生产体系建设予以资金支持和政策优惠。具体包括鼓励金融机构对技术含量较高和发展前景较好的养猪业循环经济建设项目提供专项贷款、设立政府发展农业循环经济的专项资金等，还可以运用贴息的方式，鼓励社会资本参与养猪业循环经济建设，形成多元化的融资渠道和支持体系，使经济杠杆激励政策更好地促进养猪业转型发展。

9.2.2 建立养猪业生态补偿机制

养猪业污染治理和发展循环经济需要采取预防和激励为主的政策，探索建立生态补偿制度，实施生态效益补偿，逐步建立养猪业循环经济、环境污染治

理的发展补贴、治污补贴、补偿制度和激励政策。对水源地保护区、自然风景区、重大流域生态保护区因畜牧业发展规划、城乡规划调整以及划定禁止养殖区域、限制养殖区域，或者因畜禽散养密集区域整治，确需关闭或者搬迁现有畜禽养殖场所，致使畜禽养殖者遭受经济损失的，由地方人民政府予以生态补偿。要参照发达国家的做法，将补贴与农民采取环境友好型农业技术措施挂钩。对采用对畜禽粪便进行资源化处理利用的养殖场进行适当补贴，鼓励农户采用清洁生产方式，从源头上控制农业面源污染的发生，实现经济发展和环境保护协调发展；对秸秆和畜禽粪便饲料化、能源化及直接还田等项目要进行补贴；构建循环经济的补贴范围和鼓励发展循环经济目录，尽快完善循环经济补贴制度；按照"谁污染、谁治理；谁受益，谁支付"的原则，制定农业生态环境破坏的具体生态补偿标准和管理办法，建立畜禽粪便环境排放的补偿制度等。总之，需要制定和颁布详尽的循环农业生产体系法律法规制度和配套管理办法，将发展循环生产体系纳入规范化、制度化管理轨道，建立政策长效机制，最终实现养猪业循环经济的健康、稳定发展（尹昌斌和周颖，2008）。

9.3 大力发展养猪业循环经济，加快形成养猪业生态产业链

养猪废弃物排放量大，污染负荷高，若单纯以治污处理、畜产公害环保工程为目的，建设投资和运行费用都很高，养猪业企业负担重，难以持续运转下去。因此，养猪业的转型发展必须依靠科技的力量，立足于养猪场废弃物的减量化、资源化、无害化和生态化，以污染物的综合治理以及废弃物的资源化利用为目的，对国内外先进技术进行集成创新，采用养猪废弃物源头减量，废弃物厌氧发酵生产沼气或生产有机肥、废水低成本处理等不同综合治理模式，以及适应不同条件的多元化、资源化技术的优化集成。这在解决养猪废弃物污染问题的同时，又生产出优质的绿色生物有机肥、清洁燃料和可再生能源，还能增加养猪业的收入用以补贴污染治理的运行费用，不仅具有重大的环境社会效益，而且能够取得可观的经济效益，为集约化、规模化养猪业的可持续发展和循环经济模式的尽早建立，提供切实可行的路径和技术解决方案。

9.3.1 构建研发体系，加大养猪业循环经济技术创新力度

养猪企业的循环技术研发和推广应用技术水平，是构建养猪业循环经济生态产业链的关键影响因素。养猪业发展循环经济，构建养猪业生态产业链是循

环经济在养猪业上的扩展和延伸，技术体系主要包括污染治理技术、废弃物再利用的资源化技术和生产过程中的无废、少废及生产绿色产品的清洁生产技术等，重点研究优质、高效、环保饲料管理技术、畜禽生产环境控制技术、畜禽粪便资源化利用技术、生态养殖技术、废弃物处理技术、污染控制技术、现代化畜牧企业管理技术等，因地制宜地构建养猪业循环经济产业链，不断推广生态循环养殖模式。这些技术的应用，可以使企业在生产过程中减少污染排放量，提高资源和能源的利用率，能够在对环境基本上不产生负面影响的情况下，将产生的废弃物转化为资源回收和利用。

对于养猪业循环经济技术的发展，首先，需要建立市场导向机制，企业与高校、科研院所合作，建立研发机构，形成技术创新体系，满足企业构建生态产业链、发展循环经济的技术需求。其次，凭借发展循环经济技术的政策优惠和建设创新型国家战略对科技创新的支持，将企业的生态产品开发、技术攻关与国家在能源、矿业、环境、农业、电子等领域的重大技术专项结合起来，获得国家在资金、信息、人才、税收等方面的支持。再次，要加强企业内部绿色技术创新的公共服务体系建设和对知识产权的管理，提升企业绿色技术运营和发展循环经济的能力。最后，还需要不同产业领域及区域的大型企业，根据生态产业链链接技术研发的需要，建立联合研发机构，进行联合技术攻关和研发。要大力推进创新驱动发展战略，加强生态技术与生态产业之间的深度结合，逐步建立起以企业为主体、市场为导向、产学研相结合的技术创新体系（王积超，2008）。

9.3.2 健全科技创新应用体系，加快绿色技术应用步伐

发展对环境破坏小、经济效益高、可操作型强的高新技术是实施循环养猪业的关键，而推广应用体系的建立才是根本。健全科技创新应用体系，要充分调动人们对国家公益性农技推广体系与企业商业化技术推广体系的积极性，使基层农技推广人员深入农村和农业第一线，及时将绿色科技、市场信息和农村政策传播到田间地头，并及时了解和反馈农情民意，在促进循环农业和养猪业转型发展中起积极作用。通过制定各种优惠政策来鼓励和吸引社会、企业和个人参与到养猪业科学技术的扩散和推广中，形成整体上的循环养猪业技术研发的多元投入机制，加大循环养猪业新技术、新模式的研发力度，并完善科技推广体系。对于成熟的养猪业循环技术，推广工作就变得尤为重要。政府应该壮大科技推广机构、建设科技示范研究基地，为资源减量化投入提供技术支持，以相关院校为依托，充分发挥农业科技推广部门的作用，提高畜牧业养殖户整

体素质。针对养猪业废弃物综合利用技术的研发，政府应加大对畜牧业的科技投入，加快畜牧业科技成果转化，加强畜牧业科技推广。建立相应的科技推广指导和服务体系，推广先进适用的养猪业循环经济技术和污染防治技术，促进养殖污染防治水平的提高。

9.4 推进农业循环经济法规建设，促进养猪业循环经济法规体系

一直以来，我国关于环境、生态保护相关的立法都落后于其他发达国家。尽管我国正在积极建设"两型"社会，大力发展循环经济，但却始终没有出台完善的关于循环经济建设的立法。要想保障农业循环经济建设的成效，建立相关的法律法规是十分必要的。国家相关部门应根据我国国情和发展需要，制定和颁布一套适用于我国农村的保障农业循环经济建设的法律法规，虽然养猪业循环经济是农业循环经济在养猪业中的运用，但是养猪业也应该针对自身情况和特点，制定相关规章制度，依法保障养猪业循环经济建设（罗胜，2012）。另外，相关执法部门和监管部门要增强执行和监管作用，通过加强实时监管养猪业污染排放，避免造成生态破坏后才进行追责和治理。

9.4.1 借鉴国际经验，制定和完善我国养猪业循环经济法律法规体系

我国养猪业的发展中遇到许多资源利用和环境保护的问题，诸多行为主体的经济行为均会涉及外部性、公共产品及市场失灵等问题，因此需要清晰界定各行为主体的责、权、利关系，通过法律和制度手段形成强有力的行为约束，构建我国养猪业循环经济发展政策的长效机制。

目前，我国已经颁布了多部与资源节约、环境保护相关的法律法规，在促进循环农业建设方面发挥了重要作用。但是到目前为止，还没有一部法律是专门针对农业循环经济颁布的，农业循环经济发展方面的法律法规也并不完善，立法理念、立法内容以及相关法律法规衔接并不系统，存在明显的缺位和不足。因此，我国除了应全面贯彻和严格执行国家已有的农业资源节约利用和环境保护的相关法律法规之外，还应重点加强完善现有的资源环境法律体系，及时根据社会经济发展变化和农产品生产、消费的新要求，调整法律法规，构建适应循环农业及符合畜牧业养殖要求的新型法律法规体系。各级地方人大及常委会、政府也可以根据本地区实际需要，在不与宪法和上位法律相抵触的前提下，制定一些地方性的、针对养猪业循环经济的法律法规。

另外，我国可以借鉴美国、日本、以色列、欧盟等国家和地区农业可持续发展的成功经验，逐步探索和建立专门关于农业循环经济的专项法律法规，明确各行为参与主体在循环经济的生产体系中的权利和义务。例如，德国政府已制定了一系列法律法规以及相关制度和政策措施，主要有资源保护规定、环境污染刑事处罚规定、废弃物排除规定、固定和非固定设备安装规定、污泥用作肥料规定、防止施肥过量规定、化肥销售规定，以及农牧结合、轮作方式、少耕免耕、再生资源开发、自然优势试验奖励等（张润清等，2006）。我国要加紧制定相关农业技术法规与标准，包括乡村环境清洁标准、农业清洁生产标准、畜禽养殖场污染防治和排放标准等具体措施。将污染预防的综合环境保护策略持续应用于农业生产过程，实现从源头上控制农业污染。

9.4.2 明确法律法规责任，依法完善养猪业环境治理的制度建设

发展循环经济，要有以预防和激励为主的法规政策和激励制度。对于建立秸秆和畜禽粪便饲料化、能源化及直接还田等项目要进行补贴，构建循环经济的补贴范围和鼓励发展循环经济目录，尽快完善循环经济补贴制度（来有为，2007）。探索建立生态补偿制度，实施生态效益补偿。按照"谁污染、谁治理；谁受益，谁支付"的原则，制定农业生态环境破坏的具体生态补偿标准和管理办法。总之，需要制定和颁布更具操作性的循环农业生产体系法律法规制度和配套管理办法，将发展循环生产体系纳入规范化、制度化管理轨道，建立政策长效机制。

如建立养猪业发展规划，依法设立养猪业禁养区和限养区，在饮用水水源保护区、风景名胜区、自然保护区、城镇居民区和公共工作生活人口集中区域等禁止建设畜禽养殖场和养殖小区。要依法进行环境评价。新改扩建畜禽养殖场、养殖小区要依法进行环评，环评文件要包括废弃物综合利用方案和措施，明确需要进行环评的养殖场、养殖小区的范围和规模。要依法加强对污染的治理。畜禽养殖废弃物要及时收集、储存、清运，采取防渗漏和防恶臭措施；废弃物未经无害化处理的，不得直接向水体等环境排放；对于染疫畜禽及病害废弃物要按照有关规定进行专业无害化处理；环保部门要加强对畜禽养殖污染防治情况进行监督检查的力度；对于污染严重的畜禽养殖散养密集区，要制定综合整治方案，组织建设无害化处理和综合利用设施。要依法实施源头保护制度、责任追究制度、损害赔偿制度，完善环境治理，促进环境治理与发展循环经济的有机结合和协调发展。

9.5　加大农村生态文明建设，大力推进美丽乡村建设

党的十八大报告中指出，建设生态文明，是关系到人民福祉，关乎民族未来的长远大计（陈羽，2013）。面对资源约束趋紧，环境污染严重、生态系统退化的严峻形势，必须树立尊重自然、顺应自然的生态文明理念，把生态文明建设放在突出位置，而农村生态文明处于建设的短板和软肋，更应该加强。

9.5.1　确立生态文明制度，建设清洁农村，美丽家园

党的十八届三中全会明确指出，紧紧围绕建设美丽中国深化生态文明体制改革，加快建立生态文明制度，健全国土空间开发、资源节约利用、生态环境保护的体制机制，推动形成人与自然和谐发展现代化建设新格局。建设生态文明，必须建立系统完整的生态文明制度体系，实行最严格的源头保护制度、损害赔偿制度、责任追究制度，完善环境治理和生态修复制度，用制度保护生态环境。确定生态文明制度，以良好的制度约束人的行为，实现社会制度对生态文明的保障。要实施最严格的源头保护制度，设立禁养区和限养区，在饮用水水源保护区、风景名胜区等区域禁止建设畜禽养殖场、养殖小区，即使是养殖区也要实现严格的环境评价制度，在远离水源地和公共生活的区域建立养猪小区和养殖场，要加强对养猪环境污染的监测和管理，实施谁污染、谁治理的责任追究制度和损害赔偿制度，完善环境治理。充分发挥制度安排对生态文明建设的引导作用、约束作用和激励作用。养猪业循环经济发展方式的转变，不仅有赖于绿色技术进步，更有赖于人的思维模式、行为方式的根本转变，而这一切依赖于生态文明制度的保障。一要建立完善的有助于养猪业生态文明建设、保护生态环境的法律法规，并且强化这些法律的监督与检查，使之能够得到贯彻落实。推进生态文明建设，仅仅依靠道德力量的推动是不够的，还需要政府和权力机关出台相关的政策、制定相关法律法规来进行硬约束。二要完善养猪业发展考核评价体系，把资源消耗、环境损害、生态效益纳入养猪业考核评价体系，建立符合养猪业生态文明要求的目标体系、考核办法、奖惩机制。要逐渐使领导干部牢固树立起"环境也是生产力""绿水青山就是金山银山"的执政理念，自觉将经济社会发展纳入生态文明范畴。

9.5.2 强化政府责任机制，为生态文明建设保驾护航

作为社会公共资源掌控者和公共权力掌握者，政府在生态文明建设中应居于主要责任地位，同时，在当前的生态危机中，政府也负有不可推卸的责任。因此，当前生态文明建设，需要政府积极作为，尽快建立政府的责任机制。从服务型政府角度看，政府应为养猪业生态经济和循环经济发展创造良好的氛围，提供良好的条件，建立促进养猪业生态经济发展的正向激励机制。从学习型政府的角度看，政府公务人员要学习生态知识，逐步树立生态危机意识，学会从生态环境、经济、社会协调发展的战略高度进行管理决策。从民主型政府的角度看，政府要做到决策民主化、信息公开化，积极引导公众参与，从而以民主的制度、民主的形式、民主的手段推进生态文明建设（唐超华，2010）。此外，政府要强化生态区域合作、国际合作，建立环境保护区域合作交流机制。近年来，生态文明建设的经验表明，公众的参与、支持，公众环境保护责任感的养成是生态文明早日实现的重要前提和根本保证。积极开展生态伦理和环保警示教育，增强全社会环境忧患意识和环境保护意识。鼓励和发展民间环保组织，提升公众环境保护的自我组织能力。

9.5.3 树立生态文明理念，培育新型职业农民是核心

党的十八大报告明确提出要树立尊重自然、顺应自然、保护自然的生态文明理念。这是推进生态文明建设的重要思想基础，体现了新的价值取向和生态伦理。生态文明建设是发展理念的深刻变革，把生态文明的理念、原则、目标等深刻融入和全面贯彻到养猪业循环经济建设的全过程，推动养猪户和企业行为的根本转变。在发展养猪业的过程中要学会运用生态的观念去评价经济活动，制定经济政策和经济发展战略，注重经济目标和生态目标的协调统一。

现代养猪业需要现代管理人员的管理，需要掌握现代化技术的人员进行服务和技术推广，需要掌握现代生产技术的生产人员。通过国家政策扶持和重点工程，建立人才培养体制和机制，加快人才队伍建设，开展多渠道、多层次、多形式的科技教育培训，充分调动养猪户的积极性和创造性，全面提高养猪户的专业综合素质（柳月瑞，2008）。培育养殖人员向科技示范户、养殖大户和家庭农场户等新型职业农民转变。建设生态文明，加快转变养猪业发展方式。关键靠养猪户和企业经营者综合素质和能力的提升，所以需要建立完善生态环保宣传教育和培训机制。要通过各种形式，大力宣传生态环保的知识与理念，

使生态文明的理念走进每一个养殖户的内心，并转化为养殖户在生产过程中的自觉行动。要积极推动环境宣教法制化的进程，不断提升全民环保意识和生态意识，使全社会牢固树立起生态文明观念，增强全民的生态责任意识、参与意识，形成人与自然和谐相处的生产方式和生活方式（贾书丽，2011）。

总之，养猪业污染不同于工业污染的主要表现是，养猪业废弃物可以变废为宝，实现资源化综合利用，建立养猪业循环经济模式。我国要综合利用经济杠杆、政策激励、技术创新、生态文明制度建设等全面推进养猪业的转型发展。养猪业要因地制宜，转变发展方式，养猪业发展要充分考虑区域经济特点，并且要根据自然资源状况和经济社会条件，考虑各地区农业生产结构和自然生态承受能力，确定不同地区养猪业循环经济的主流模式和重点发展方向，推动我国养猪业的可持续发展。

参 考 文 献

白宏兵，马福婷，唐萍萍．2006．草原生态环境价值补偿制度的研究．河北北方学院学报（自然科学版），(4)：55，56.

白金明．2008．我国循环农业理论与发展模式研究．北京：中国农业科学院博士学位论文．

炳军，尚慧，潘斌．2012．养猪业对生态环境的影响及对策．草业与畜牧，(4)：61，62.

蔡邦成，温林泉，陆根法．2005．生态补偿机制建立的理论思考．生态经济，(1)：47～51.

蔡小军，李双杰，刘启浩．2006．生态工业园共生产业链的形成机理及其稳定性研究．软科学，(3)：12～14.

蔡继荣，郭春梅．2007．战略联盟的稳定性边界研究．管理工程学报，(2)：103～105.

蔡银莺，王晓霞，张安录．2006．居民参与农地保护的认知程度及支付意愿研究：以湖北省为例．中国农村观察，6：31～39.

曹斌．2011．两型农业发展状况及其生产效率的评价．长沙：中南大学博士学位论文．

曹凤中．2002．生态全息论对发展循环经济的启示．环境污染与防治，(6)：321～323.

曹庆英，曹国茂，黄自文．2009．余江县养猪粪便污染调查及思考．江西畜牧兽医杂志，(4)：20.

柴金艳．2006．基于耗散结构理论的循环经济产业链优化．中原工学院学报，(6)：12～17.

陈昌洪，霍学喜．2007．生猪产业循环经济发展探析．生态经济，(12)：95～97，114.

陈德敏．2004．资源循环利用论：中国资源循环利用的技术经济分析．重庆：重庆大学博士学位论文．

陈德敏，王文献，2002．循环农业：中国未来农业的发展模式．经济师，(11)：8，9.

陈厚基．1994．持续农业和农村发展：SARD 的理论与实践．北京：中国农业科技出版社．

陈焕生，聂风英．2005．国外养猪发展的趋势与经验．饲料研究，(2)：31～34.

陈瑾瑜，王朝全．2007．博弈论在构建生态产业链中的应用分析．生态经济，(3)：87～90.

陈玲芳．2006．试论我国农业与生态环境协调发展．科情报开发与经济，(1)：107，108.

陈留平，张凯．2007．基于企业生命周期的绩效评价方法．企业活力，11：46，47.

陈梅雪，杨敏，贺泓．2005．日本畜禽产业排泄物处理与循环利用的现状与技术．环境污染治理技术与设备，6 (3)：5～11.

陈喜红，吴金明．2004．解决环境外部性问题的两种手段．财经论坛，(8)：104，105.

陈晓娟．2008．循环农业发展模式研究．福州：福建师范大学硕士学位论文．

陈羽．2013．从"建设美丽中国"看生态文明建设．重庆科技学院学报（社会科学版），(6)：12～14.

陈珏．2008．农业可持续发展与生态经济系统构建研究．乌鲁木齐：新疆大学博士学位论文．

陈智民，郑海鳌．2005．国有企业经营者长效激励机制研究：以深圳为例．经济体制改革，(4)：66.

程序 . 2006. 发展木薯酒精生产必须重视废液治理问题 . 中国热带农业, 5: 11.

程序 . 2007. 中国农业与可持续发展 . 北京: 科学出版社 .

邓良伟 . 2001. 规模化猪场粪污处理模式 . 中国沼气, 19 (1): 29~33.

邓启明 . 2007. 基于循环经济的现代农业研究: 高效生态农业的理论与区域实践 . 杭州: 浙江大学出版社 .

狄海英 . 2012. 科学发展观指引下循环农业发展的调查与分析 . 石家庄: 河北科技大学硕士学位论文 .

董克虞 . 1998. 畜禽粪便对环境的污染及资源化途径 . 农业环境保护, 17 (6): 281~283.

段宁, 邓华, 乔琦 . 2005. 我国生态工业园区稳定性的调研报告 . 环境保护, (12): 66~69.

樊元, 刘国平 . 2011. 中国地区循环经济发展的综合评价和特征分析 . 甘肃社会科学, (5): 131~133.

方青 . 2004. 供应链企业合作利益分配机制研究 . 武汉: 武汉理工大学硕士学位论文 .

冯进修, 郭凤英 . 2007. 规模化猪场污染治理措施 . 中国动物保健, 4: 29~30.

冯丽霞 . 2002. 企业财务分析与绩效评价 . 长沙: 湖南人民出版社 .

冯新 . 2010. 外部性、负外部性及其在生态保护中的应用 . 湖南商学院学报, 4: 37~40.

冯之浚 . 2003. 循环经济是个大战略 . 科学学与科学技术管理, (5): 1.

冯之浚 . 2004. 循环经济导论 . 北京: 人民出版社 .

付玉秋 . 2010. 调整农业发展模式实现农业可持续发展 . 科技致富向导, 11: 215~229.

付允, 林翎, 高东峰, 等 . 2012. 我国资源循环利用的理论内涵与系统模型研究 . 生态经济, (10): 58~61.

甘露 . 2006. 规模化畜禽养殖业环境污染问题及防治对策 . 农机化研究, 6: 22.

高定, 陈同斌, 刘斌, 等 . 2006. 我国畜禽饲养业粪便污染风险与控制策略 . 地理研究, 25 (2): 311~319.

高旺盛 . 2010. 坚持走中国特色的循环农业科技创新之路 . 农业现代化研究, 31 (2): 129~133.

龚勤林 . 2004. 论产业链构建与城乡统筹发展 . 经济学家, (3): 121~123.

龚晓宁, 钟书华 . 2003. 生态工业园区内工业链特征分析 . 中国农业银行武汉培训学院学报, (6): 68~69.

谷虹 . 2008. 浅谈兽药残留的危害 . 现代畜牧兽医, 8: 26~27.

顾骅珊 . 2009. 农业废弃物的循环利用模式探讨: 以浙江嘉兴为例 . 嘉兴学院学报, 2 (1): 47~51.

郭铁民, 王永龙 . 2004. 福建发展循环农业的战略规划思路与模式选择 . 福建论坛 (人文社会科学版), (11): 83~87.

海江波 . 2009. 农业生态经济系统生态流与价值流耦合机制 . 杨凌: 西北农林科技大学博士学位论文 .

韩俊, 罗丹 . 2005. 产地环境控制与食品安全 . 农业质量标准, (4): 14~16.

何凯．2006．资源循环利用的应用模型及政策研究．重庆：重庆大学硕士学位论文．

何英俊．2002．关于环保型养猪业的探讨．金华职业技术学院学报，（1）：14~17．

侯伟丽．2005．中国经济增长与环境质量．北京：科学出版社．

黄方伟．2006．循环经济模式在生态农业建设中的应用研究．上海：同济大学硕士学位论文．

黄贤金．2006．区域循环经济发展评价．北京：社会科学文献出版社．

贾书丽．2011．节约资源、保护环境、建设生态文明新农村（黑龙江），（11）：202．

姜春云，陈佳贵，冯之浚，等．2008．节约资源保护环境建设生态文明．资源再生，（7）：12，13．

蒋国俊，蒋明新．2004．产业链理论及其稳定机制研究．重庆大学学报（社会科学版），（1）：36~38．

蒋舟．2013．外部性理论研究现状评述．决策与信息（中旬刊），5：173，174．

江伟钰，陈方林．2005．资源环境法词典．北京：中国法制出版社．

金友玉．2008．湖北循环农业发展模式及支持体系研究．武汉：华中农业大学硕士学位论文．

赖力，黄贤金，刘伟良．2008．生态补偿理论、方法研究进展．生态学报，28（6）：2870~2877．

来有为．2007．循环经济发展中的障碍及解决对策．中国发展观察，（1）：27~29．

卡逊 R．1997．寂静的春天．吕瑞兰译．长春：吉林人民文学出版社．

李炳炎．2007．应将利益分享作为构建和谐社会的一项基本原则．学习与探索，（6）：5~7．

李红祥，葛察忠．2008．基于关键种理论的孝义生态产业链的构建．环境科学与技术，（3）：145~148．

李继宏，于微微，赵涛．2012．基于耗散结构理论的协同收益分配对生态产业链网结构影响研究．中国农机化，（3）：52~55．

李健，王博．2007．基于三维投入产出表的生态产业链耦合分析．南昌航空大学学报（社会科学版），（4）：29~34．

李建华．2004．畜禽饲养业的清洁生产与污染防治对策研究．杭州：浙江大学硕士学位论文．

李健生．2005．循环经济在养猪业污染及生态修复中的应用．环境科学研究，（18）：135~138．

李晶晶．2005．如何制定科学的薪酬体系．新资本，（7）：53~56．

李世涌，朱东恺，陈兆开．2007．外部性理论及其内部化研究综述．中国市场，31：117~119．

李寿德，柯大钢．2000．环境外部性起源理论研究述评．经济理论与经济管理，（5）：63~66．

李晓光，周其文，胡梅，等．2008．中国畜禽粪便污染现状及防治对策．中国农学通报，24（11）：77~80．

李晓璐．2007．畜禽养殖废水好氧生物处理脱氮除磷效果研究．成都：四川农业大学硕士学位论文．

李燕．2008．沼气工程应用技术．环境与可持续发展，（1）：25，26．

李颖．2013．基于改进 Shapley 值的生态产业链共生耦合稳定性研究．生产力研究，5：154~156，169．

李迎新．2006．虚拟生态产业链稳定性研究．天津：天津理工大学硕士学位论文．

梁凡丽 . 2013. 基于循环经济的养猪业生态产业链绩效评价指标体系构建 . 武汉：华中农业
　大学硕士学位论文 .

梁木梁，朱明峰 . 2005. 循环经济特征及其与可持续发展的关系 . 华东经济管理，12：61～
　64.

林代炎，叶美锋，吴飞龙，等 . 2010. 规模化养殖场粪污循环利用技术集成与模式构建研究 .
　农业环境科学学报，29（2）：386～391.

林藩平 . 2001. 猪场污染问题及对策 . 福建畜牧兽医，（4）：47～50.

刘冬梅，王育才 . 2009. 农业污染控制的经济激励手段 . 农村经济，（5）：87～90.

刘光栋，吴文良，彭光华 . 2004. 华北高产农区公众对农业面源污染的环境保护意愿及支付
　意愿调查 . 农村生态环境，20（2）：41～45.

刘贵富 . 2006. 产业链基本理论研究 . 吉林大学博士学位论文 .

刘贵富 . 2008. 产业链的基本特性研究 . 生产力研究，（22）：120～122.

刘红 . 2000. 养猪场对环境的污染改善对策及处理利用技术 . 农业环境保护，19（2）：101～
　103.

刘慧琴，郑元宁 . 2011. 西部地区生态补偿机制的构建：以贵州为例 . 开放导报，（4）：
　111.

刘娟 . 2012. 湖南省生猪产业产业链优化整合问题研究 . 长沙：湖南农业大学硕士学位论
　文 .

刘宁，吴小庆，王志凤，等 . 2008. 基于主成分分析法的产业共生系统生态效率评价研究 .
　长江流域资源与环境，17（6）：831～838.

刘平宇，马骥 . 2002. 论循环经济发展的必然性 . 生态经济，（4）：46～48.

刘倩，2011. 循环农业发展研究：以河北省为例 . 石家庄：河北农业大学博士学位论文 .

刘巧芹 . 2004. 从价值创造的角度构建企业业绩评价体系 . 商业研究，17：87～89.

刘维平 . 2009. 资源循环利用 . 北京：化学工业出版社 .

刘晓燕，阮平南 . 2007. 基于生态位理论的战略联盟稳定性研究 . 北京工业大学学报（社会
　科学版），7（2）：29～31.

刘兴元 . 2012. 草地生态补偿研究进展 . 草业科学，29（2）：306～313.

刘彦随，吴传钧 . 2000. 农业持续研究进展及其理论 . 经济地理，20（1）：63～68.

刘勇 . 2007. 养猪业面临的问题与生态猪场建设 . 北方牧业，2：6.

刘志云 . 2013. 发展循环农业的几点做法 . 现代农业，5：72，73.

柳月瑞 . 2008. 浅谈山西省榆次区农村养猪业存在的问题及对策 . 山西农业（畜牧兽医），
　（11）：14.

卢霞 . 2003. 发展养猪业存在的环境问题及防治对策 . 中国动物保健，5（51）：41，42.

罗胜 . 2012. 湖南省农业循环经济建设中的问题和对策研究 . 长沙：中南林业科技大学硕士学
　位论文 .

罗小君，颜新建，黎熹 . 2007. 促进农业循环经济发展的财政政策选择 . 金融经济，（5）：
　40，41.

栾冬梅，魏国生．2003．养猪业的环境污染及防治对策．黑龙江畜牧兽医，4：45~47．

吕新业，王济民，吕向东．2006．我国粮食安全的短期预测与预警研究．农业经济问题，(5)：49~55．

马文博，李世平，陈昱．2010．基于 CVM 的耕地保护经济补偿探析．中国人口·资源与环境，20 (11)：107~111．

马歇尔，1981．经济学原理（上卷）．北京：商务印书馆．

马中．1999．环境与资源经济学概论．北京：高等教育出版社．

毛显强，钟瑜，张胜．2002．生态补偿的理论探讨．中国人口·资源与环境，12 (4)：38~41．

梅多斯 D，兰德斯 J，梅多斯 D．2013．增长的极限．李涛，王智勇译．北京：机械工业出版社．

孟帮燕．2006．资源循环利用经济效益评价模式研究．重庆：重庆大学硕士学位论文．

孟祥海．2010．发展农业循环经济与消解规模化养猪环境污染研究．武汉：华中农业大学博士学位论文．

孟祥海．2011．"两型社会"背景下的规模化养猪循环经济发展新模式：以武汉银河生态农业有限公司为例．农业经济与科技，(6)：143~145．

倪丹成，黄文芳．2009．农业面源污染的政策成因分析．中国环保产业，11：41~44．

牛文元，康晓光，王毅．1994．中国式持续发展战略的初步构想．管理世界，1：195~203．

欧名豪，董元华．2000．区域生态重建的经济补偿办法探讨．南京农业大学学报，(4)：109~112．

潘家华．1997．持续发展途径的经济学分析．北京：中国人民大学出版社．

潘丽燕，陈伟琪．2007．基于循环经济的畜禽养殖模式探讨与典型案例分析．厦门大学学报（自然科学版），(8)：209~213．

裴永辉，尹昌斌，程磊磊．2009．农业面源污染控制的生态补偿机制研究．安徽农业科学，37 (30)：1482~1484．

彭希哲，田文华．2003．上海市空气污染疾病经济损失的意愿支付研究．世界经济文汇，2：32~44．

彭新宇．2007．畜禽养殖污染防治的沼气技术采纳行为及绿色补贴政策研究：以养猪专业户为例．中国农业科学院博士学位论文．

彭新宇，张陆彪．2006．畜禽业污染的经济学思考．中国禽业导刊，(16)：8~9．

彭新宇，张陆彪．2007．畜禽养殖业的环境影响及经济分析．生态经济（学术版），(5)：271~273．

齐建国．2005．中国循环经济发展的若干理论与实践探索，(2)：160~167．

齐振彪，周慧，齐济．2012．资源节约型和环境友好型农业生产体系的基本内涵与特征研究．农业现代化研究，3：322~326．

齐振宏．2003．循环经济与生态园区建设．中国人口、资源与环境，(5)：111~114．

齐振宏，齐振彪．2003．实现工业可持续发展的循环经济模式研究，现代经济探讨，(9)：28~30．

齐振宏，王培成 . 2010. 博弈互动机理下的低碳农业生态产业链共生耦合机制研究 . 中国科技论坛，(11)：136～141.

齐振宏，王培成，冉春艳，等 . 2008. 基于循环经济的我国养猪业环境污染与治理问题分析 . 第三届全国循环经济与生态工业学术研讨会：178～152.

齐振宏，王培成，冉春艳 . 2009. 基于循环经济的生态产业链共生耦合研究理论述评 . 产业观察，(2)：185～188.

仇立平 . 2008. 社会研究方法 . 重庆：重庆大学出版社 .

钱言 . 2007. 基于生态位理论的企业间关系优化研究 . 上海：同济大学博士学位论文 .

乔晶 . 2008. 循环经济产业链经济学稳定性及评价方法研究 . 济南：山东大学硕士学位论文 .

秦颖，武春友，武春光 . 2005. 生态工业共生网络运作中存在的问题及其柔性化研究 . 软科学，(2)：38～41.

曲格平 . 2000-11-20. 循环经济与环境保护 . 光明日报，4.

翟绪军 . 2011. 中国农业循环经济发展机制研究 . 哈尔滨：东北林业大学博士学位论文 .

冉春艳 . 2009. 武汉市养猪业循环经济发展模式研究 . 武汉：华中农业大学硕士毕业论文 .

冉春艳 . 2010. 我国养猪业循环经济综述及评价 . 中国牧业通讯，(20)：27，28.

冉春艳，齐振宏，王培成 . 2008. 中国养猪业循环经济综述及评价 . 中国集体经济，24：32，33.

冉春艳，齐振宏，王培成 . 2010. 我国养猪业循环经济综述及评价 . 中国牧业通讯，(20)：27，28.

任勇，陈燕平，周国梅，等 . 2005. 我国循环经济的发展模式 . 中国人口·资源与环境，15 (5)：137.

任友安 . 2008. 利用畜禽粪便养殖蝇蛆技术特点分析 . 现代农业科技，(12)：280.

任正晓 . 2007. 农业循环经济概论 . 北京：中国经济出版社 .

伞磊，彭义，李跃明 . 2006. 三峡库区农户规模养猪对环境的污染及防治 . 重庆：西南农业大学学报，28 (2)：342～344，348.

邵锦香，杨自立，郜志坤，等 . 2004. 试论畜牧业循环经济 . 家畜生态，4：11，12.

沈满洪 . 2009. 生态经济学的定义、范畴与规律 . 生态经济，(1)：42～47.

沈满洪，何灵巧，2002. 外部性的分类及外部性理论的演化 . 浙江大学学报（人文社会科学版），1：152～160.

史小红 . 2007. 循环农业及发展模式研究 . 河南教育学院学报，26 (4)：98～102.

宋军，胡瑞法，黄季焜 . 1998. 农民的农业技术选择行为分析 . 农业技术经济，(6)：36～39，44.

宋敏，横川洋，胡柏 . 2000. 用假设市场评价法评价农地的外部效益 . 中国土地科学，14 (3)：19～22.

宋亚洲，韩宝平 . 2006. 农业循环经济发展模式与对策初探 . 现代农业科技，(5)：80，81.

粟晏，赖庆奎 . 2005. 浅谈生态补偿与社区参与 . 林业与社会，13 (2)：29～32.

孙鳌．2009．治理环境外部性的政策工具．云南社会科学，(5)：94～97．

苏杨．2005．我国集约化畜禽养殖场污染治理障碍分析及策略．环境保护，(4)：31～34．

孙洛平，孙海琳．2006．产业集聚的交易费用理论．北京：中国社会科学出版社．

孙铁珩，宋雪英．2008．中国农业环境问题与对策．农业现代化研究，29 (6)：646～648, 652．

汤新华．2009．农业产业化龙头企业绩效评价研究．北京：中国农业出版社．

唐超华．2010．地方政府生态责任问题研究．长沙：湖南大学硕士学位论文．

唐学玉，张海鹏，李世平．2012．农业面源污染防控的经济价值：基于安全农产品生产户视角的支付意愿分析．中国农村经济，3：53～67．

陶新，徐子伟，王峰．2007．发展养猪业循环经济实现零污染．家畜生态学报，28 (6)：171～174．

田春秀．2003．全球环境管理的现状与展望．环境保护，(11)：61～64．

王爱国．2006．国外猪业可持续发展模式对我国养猪业的借鉴意义．中国畜牧杂志，(18)：4～8．

王爱华，景好东．2000．企业可持续发展指标体系研究．生态经济，(1)：17～20．

王芳，赵黎明．2007．农业循环经济生态产业链建设研究．内蒙古农业大学学报（社会科学版），(5)：72～74．

王国弘．2009．生态工业园中生态产业链的稳定性研究．天津：天津大学博士学位论文．

王卉，高凤仙．2013．我国养猪业污染现状及其防治措施．猪业科学，(3)：80～82．

王积超．2008．西部民族地区企业生态产业链构建与发展循环经济研究．民族研究，(3)：21～30, 108．

王昀, 2005．循环农业初论．江南论坛，2：18, 19．

王俊能，许振成，杨剑．2012．我国畜牧业的规模发展模式研究．农业经济问题，(8)：13～17．

王克俭，谭莹．2010．广东养猪业污染环境的生态补偿机制研究．广东农业科学，(4)：217～219．

王林云．2004．中国养猪发展模式探讨．农业新技术（今日养猪业），3：4, 5．

王林云．2006a．中国生猪流通加工方式历史演变拾零．猪业科学，(8)：24～29．

王林云．2006b．节约型养猪是发展方向．北京农业，(9)：33．

王林云．2006c．节约型养猪是发展我国养猪业的必由之路．中国猪业，5：4～8．

王灵梅，张金屯．2003．生态学理论在生态工业发展中的应用．环境保护，(7)：57～60．

王美芝．2010．低碳养猪业规模化猪场设计新理念．猪业科学，(5)：28～30．

王培成．2010．养猪业循环经济生态产业链祸合机制研究．武汉：华中农业大学硕士学位论文．

王裙．2008．集群经济中的关系合约与稳定性机制研究．中山大学学报（社会科学版），(1)：135～141．

王瑞懂，齐振宏．2009．循环经济下企业的环境责任研究．现代农业科技，(10)：227．

王寿兵，王平建，胡泽园，等．2003．用意愿评估法评价生态系统景观服务价值：以上海苏州河为实例．复旦学报（自然科学版），(3)：463～467．

王树星 . 2008. 节约资源和资源再利用是发展我国养猪业的长期战略 . 中国猪业,（8）：55 ~ 57.

王淑贞 . 2012. 外部性理论综述 . 经济视角（下），9：52，53.

王松霈 . 2003. 生态经济学为可持续发展提供理论基础 . 中国人口·资源与环境，13（2）：11 ~ 16.

王希江，王边锁，张波，等 . 2008. 养殖场畜禽粪便循环利用技术 . 中国西部科技，7（34）：31，32.

王小君 . 2008. 生态产业链的构建与稳定性研究 . 天津：天津理工大学硕士学位论文 .

王幸斌，董瑞斌，黄永平，等 . 2007. 浅论生态补偿机制的模式与功能 . 景德镇高专学报，（2）：59，60.

王亚静，陈诗波，毕于运，等，2009. 基于农户视角的循环农业外部环境分析 . 中国农业资源与区划，5：54 ~ 59.

王艳红 . 2013. 高效有机循环农业的内涵和其发展必要性分析 . 北京农业，12：272.

王志刚 . 2012. 畜牧业发展相关政策 . 中国猪业，5（5）：5 ~ 7.

王兆华 . 2002. 生态工业园工业共生网络研究 . 大连：大连理工大学博士学位论文 .

王兆华 . 2007. 循环经济：区域产业共生网络 . 北京：经济科学出版社 .

王兆华，武春友 . 2002. 基于工业生态学的工业共生模式比较研究 . 科学学与科学技术管理，（2）：29 ~ 34.

王兆华，武春友 . 2003. 生态工业园中生态产业链结构模型研究 . 中国软科学，（10）：149 ~ 153.

王兆军 . 2001. 规模化畜禽养殖污染有效防治途径探讨 . 中国人口·资源与环境，S1：73 ~ 75.

王兆军，张怀成，刘键，等，2001. 规模化畜禽养殖污染有效防治途径探讨 . 中国人口·资源与环境，S1：73 ~ 75.

王志琴，李守旭 . 2003. 小城镇公众生态意识现状及策略：河北省东部小城镇生态意识调查 . 城市环境与城市生态，（12）：89，90.

汪道峰，廖新俤 . 2003. 试论中国养猪业的可持续发展 . 家畜生态，（1）：1 ~ 4.

汪开英，苗香雯，崔绍荣，等 . 2002. 猪舍环境温湿度对育成猪的生理及生产指标的影响 . 农业工程学报，（1）：99 ~ 102.

汪毅，陆雍森 . 2004. 论生态产业链的柔性 . 重庆大学学报（社会科学版），（6）：138 ~ 142.

温宏博 . 2009. 绿色供应链综合绩效评价体系研究 . 兰州：兰州理工大学硕士学位论文 .

温素彬，薛恒新 . 2005. 企业"三重盈余"绩效评价指标体系 . 统计与决策，（6）126 ~ 128.

温铁军 . 2006. 新农村建设与循环经济 . 财经界，（11）：75，76.

武春友，邓华，段宁 . 2005. 产业生态系统稳定性研究述评 . 中国人口·资源与环境，15（5）：20 ~ 25.

吴华东 . 2001. 生态养殖业与农牧业结合模式 . 家畜生态，22（2）：60 ~ 62.

吴绍中，1998. 循环经济是经济发展的新增长点 . 社会科学，（10）：18 ~ 22.

吴松强，石岂然，郑垂勇，2009. 从环境外部性视角研究产业集群生态化发展策略. 科技进步与对策，26（8）：61~65.

肖忠东，孙林岩，昌坚. 2003. 经济系统与生态系统的比较研究. 管理工程学报，17（4）：23~27.

相俊红，胡伟. 2006. 我国畜禽粪便废弃物资源化利用现状. 现代农业装备，（2）：59~63.

熊传慈，李家田，蒋祖鑫，等. 2008. 生态养猪的主要模式及发展措施. 中国牧业通讯，（17）：41，42.

熊先承. 2011. 鄱阳湖生态农业经济发展模式研究. 南宁：广西师范大学硕士学位论文.

熊鹰，王克林，蓝万炼，等. 2004. 洞庭湖区湿地恢复的生态补偿效应评估. 地理学报，59（5）：772~780.

熊远著. 2007. 中国养猪业的发展道路. 今日畜牧兽医，（11）：1~4.

解振华. 2003-11-03. 关于循环经济理论与政策的几点思考. 光明日报，5.

徐大伟，王子彦. 2005. 工业共生体的企业链接关系的分析比较. 工业技术经济，（1）：63~66.

徐国梅，张雷. 2011. 农村水环境面源污染的思考与几点对策. 环境科学与管理，（5）：14~17.

徐光华. 2007. 企业社会责任的战略绩效评价体系研究. 现代经济探讨，（5）：71~74.

徐光华. 2011. 企业共生战略绩效评价理念与评价内容探究. 会计之友，（25）：4~8.

徐桂华，杨定华. 2004. 外部性理论的演变与发展. 社会科学，3：26~30.

徐琪. 2008. 循环农业与中国农业的可持续发展. 现代农业技，20：268~270.

徐芹选，郑西来. 2006. 用循环经济理念治理畜禽养殖污染. 家畜生态学报，（2）：109~112.

徐卫涛. 2010. 循环农业中的农户行为研究. 华中农业大学博士学位论文.

许文来. 2007. 基于循环经济的工业园区生态产业链构建研究. 成都：西南交通大学硕士学位论文.

宣亚南，欧名豪，曲福田. 2005. 循环型农业的含义、经济学解读及其政策含义. 中国人口·资源与环境，（2）：25~30.

杨雪锋，张卫东. 2006. 基于价值链的循环经济产业链稳定性研究. 中国环境科学学会2006年学术年会优秀论文集（上卷）. 北京：环境科学出版社.

杨艳. 2011. 基于线性加权法和杜邦分析法的旅行社经营绩效评价研究. 南京：南京师范大学硕士学位论文.

叶谦吉，罗必良. 1988. 论经济、生态、社会三效益协同增长的生态农业成长阶段. 农业现代化研究，（2）：13~17.

叶茂. 2008. 供应链企业的利益分配问题研究. 长沙：中南大学硕士学位论文.

尹昌斌，周颖. 2008. 循环农业发展的基本理论及展望. 中国生态农业学报，（6）：1552~1556.

尹昌斌，唐华俊，周颖. 2006. 循环农业内涵、发展途径与政策建议. 中国农业资源与区划，（1）：4~8.

尹琦，肖正扬. 2002. 生态产业链的概念与应用. 环境科学，（11）：114~118.

应宜逊，周立新. 1989. 走出经济发展模式的误区. 浙江社会科学，（6）：44.

尤琦 . 2003. 城市畜牧业发展对环境造成的危害及解决途径 . 西南民族学院学报（自然科学版），29（1）：106，107.

于成学，武春友 . 2013. 生态产业链多元稳定性影响因素识别：基于共生理论 . 中国流通经济，6：40～44.

俞海，任勇 . 2007. 流域生态补偿机制的关键问题分析：以南水北调中线水源涵养区为例 . 资源科学，29（2）：28～33.

袁纯清 . 1998. 共生理论及其对小型经济的应用研究（上）. 改革，（2）：101～105.

岳丹萍 . 2008. 江苏省养猪业污染与对策的实证研究 . 南京：南京农业大学硕士学位论文 .

岳琴，尹琦 . 2003. 可更新资源生态产业链的利益机制 . 经济师，（11）：114～118.

昝林森，莫泽山 . 2007. 集约化养殖场粪污蚯蚓处理效果研究 . 中国农学通报，23（10）：72～76.

张成岗 . 2003. "现代技术范式"的生态学转向 . 清华大学学报（哲学社会科学版），18（4）：61～66.

张成考 . 2006. 基于生态学理论的生态工业园系统模型研究 . 工业技术经济，25（3）：84～87.

张聪群 . 2007. 产业集群互动机理研究 . 北京：经济科学出版社 .

张华，王晶日 . 2005. 规模化养猪场环境污染及防治途径 . 环境保护科学，（2）：61，62.

张坤 . 2003. 循环经济理论与实践 . 北京：中国环境科学出版社 .

张萌 . 2007. 工业共生研究综述 . 哈尔滨工业大学学报（社会科学版），（4）：97～100.

张明峰 . 2001. 瑞典的绿色养猪业 . 世界农业，（5）：28～30.

张明华 . 2006. 试论国际大都市圈的乘数效应 . 杭州：浙江大学出版社 .

张铭华，游金进 . 2010. "猪-沼-草-猪"污水处理模式配套技术应用效果 . 畜牧业，（5）：59～61.

张润清，李晓红，李崇光 . 2006. 国外节约型农业模式评析 . 统计与决策 . （12）：120～122.

张珊红 . 2008. 基于共生理论的供应链合作利益分配机制研究 . 青岛：中国海洋大学硕士学位论文 .

张守莉 . 2012. 吉林省生猪产业发展研究 . 长春：吉林农业大学博士学位论文 .

张心如，黄柏森，郑卫东，等 . 2013. 中国养猪业的发展道路 . 养猪，（2）：13～14.

张秀明，姜志德 . 2009. 生态农业与循环农业的比较 . 农机化研究，6：231～233.

张益新 . 2008. 欧洲农牧种养平衡一体化模式对江苏现代化农业的启示 . 江苏农村经济，（1）：27～29.

张元浩，1985. 农业的循环过程与"循环农业". 中国农村经济，（11）：49，27.

张仲秋 . 2004. 打造平台 再创辉煌：写在第二届中国饲料工业协会大型企业联谊会召开之时 . 中国饲料，（23）：6，7.

张子仪 . 2002. 我国畜牧业面临的"绿色贸易壁垒"及可持续发展中的问题与对策 . 饲料广角，23：1～4.

章锦河，张捷，梁琳，等 . 2000. 九寨沟旅游生态足迹与生态补偿分析 . 自然资源学报，

参 考 文 献

20 （5）：735 ~ 744.

章明奎 . 2010. 粪便资源化循环利用的模式和技术 . 现代农业科技，（14）：280，281.

赵波 . 2006. 循环经济发展模式及其激励机制研究 . 成都：西南财经大学硕士学位论文 .

赵希彦，温萍 . 2005. 养猪业的环境污染及其营养调控措施 . 吉林畜牧兽医，3：23，24.

赵学贤 . 1997. 发展绿色节粮型养猪业 . 农牧产品开发，（6）：23，24.

郑海霞，张陆彪 . 2006. 流域生态服务补偿定量标准研究 . 环境保护，（1）：42 ~ 46.

郑江平 . 2004. 提高新疆养猪产业竞争力 实现养猪业可持续发展 . 新疆畜牧业，（6）：6 ~ 9.

中国农业大学经济管理学院 URP 科研组 . 2009. 发达国家发展循环农业的经验及对中国的
　　启示 . 世界农业，（7）：127 ~ 132.

诸大建 . 2007. 中国循环经济与可持续发展 . 北京：科学出版社 .

朱国伟 . 2003. 环境外部性的经济分析 . 南京：南京农业大学 .

朱明峰 . 2005. 循环经济与资源型城市发展研究 . 北京：中国大地出版社 .

朱能武 . 2000. 我国工厂化养猪环境工程技术研究应用现状及发展前景 . 湖北农业科技，
　　（6）：56 ~ 58.

周栋良 . 2009. "两型"农业生产体系建设若干问题思考 . 江西农业大学学报（社会科学
　　版），4：38 ~ 42.

周栋良 . 2009. 资源节约型·环境友好型农业生产体系研究述评 . 安徽农业科学，30：
　　14949 ~ 14950.

周栋良 . 2010. 环洞庭湖区两型农业生产体系研究 . 长沙：湖南农业大学博士学位论文 .

周桂莲，蒋宗勇，等 . 2001. 浅谈健康养猪的必要性 . 饲料博览，（7）：6 ~ 9.

周兴河 . 2000. 中国农业可持续发展：目标、问题与对策 . 成都：西南财经大学博士学位论文 .

周颖 . 2008. 循环农业模式分类与实证研究 . 北京：中国农业科学院硕士学位论文 .

周震峰，王军，周燕 . 2004. 关于发展循环型农业的思考 . 农业现代化研究，（5）：348 ~ 351.

邹平座 . 2005. 经济可持续发展原理研究 . 金融纵横，2：15 ~ 19.

Ayres R U. 1996. Industrial Ecology：Towards，Closing the Materials Cycle. London：Edward Elgar
　　Publishers.

Bohm P，Kneece A V，1974. The Economics of Environment. London：Macmilian.

Cantlon J E，Koenig H E. 1999. Sustainable ecological economies. Ecological Economics，31（1）：
　　107 ~ 121.

Ciriacy-Wantrup S V. 1947. Capital returns from soil conservation practices. Journal of Farm Eco-
　　nomics，29（4）：1181 ~ 1196.

Coarse R H. 1960. The problem of social cost. Journal of law and economics. （3）：1-44. .

Cote et al. 2003. Eco-industrial-parks. International Society for Industrial Ecology Conference. Ann
　　Arbor，Michigan：University of Michigan.

Doss R C，Motris L M. 2001. How does gender affect the adopt agricultural? The Case of Improved
　　Maize Technology in Ghana Agricultural Economic，（25）：27 ~ 29.

Drunker P F. 1998. Harvard business review on measuring corporate performance. Boston：Harvard

Business Review Press.

Edwards A C, Withers P J A. 1998. Soil phosphorus management and water puality: a UK perspective. Soil use and management, 14: 124 ~ 130.

Ehrenfeld J, Chertow M. 2002. Industrial symbiosis: the legacy of Kalundborg. A Handbook of Industrial Ecology. UK: Edward Elgar: 334 ~ 348.

Fischer G, Ermolieva T, Sun Laixiang. 2010. Environment Pressure from Intensification of Livestock and Crop Production in China: Plausible Trends towards 2030, CATSEI Project Report.

Heeres R R, Vermeulen W J V, de Walle F B. 2004. Eco-industrial park initiatives in the USA and the netherlands: first lessons. Journal of Cleaner Production, (12): 985 ~ 995.

Hoffmann W H, Schlosser R. 2003. Success factors of strategic alliances in small and sized medium-enterprises: an empirical survey. Long Range Planning, (34): 357 ~ 381.

Jelfery S. 1982. Measuring corporate performance. Academy of management Proceedings, (6): 7 ~ 11.

José M, Dabert P, Barrington S, et al. 2009. Livestock waste treatment systems for environmental quality, food safety, and sustainability. Bio-resource Technology, 100 (22): 5527 ~ 5536.

Kaplan R S. 1993. Putting the balanced scorecard to work. Harvard Business Review, (September-October): 89 ~ 92.

Kaplan R, Norton D. 1992. The balanced scorecard: measures that drive performance. Harvard Business Review, 70 (1): 71 ~ 79.

Li C, Salas W, Zhang R, et al. 2012. Manure-DNDC: a biogeochemical process model for quantifying greenhouse gas and ammonia emissions from livestock manure systems. Nutrient Cycling in Agroecosystem, 93: 26 ~ 63.

Lifset R. 1993. Industrial Symbiosis inDenmark. New York: Stern School of Business Press.

Nick H. 1997. Environmental Economics in Theory and Practice. New York: Xford University Press.

Paine R T. 1996. Food web complexity and species diversity. American National, 100 (1): 65 ~ 75.

Paul H T. 2004. Diversity and other emergent properties of industrial economies. Progress in Industrial Ecology, (1): 24 ~ 38.

Pierre D. 2004. Industrial Symbiosis: the Case for Market Coordination. Journal of Cleaner Production, (12): 1099, 1110.

Pigou A C. 1932. The Economics of Welfare. London: Macmillan and Co.

Simon Z, David R I. 2005. Paying for environmental services: an analysis of participation in cost Rica' s PSA Program. World Development, 33 (2): 255 ~ 272.

Smith K A, Chalmers A G, Chambers B J, et al. 1998. Organic manure phosphorus accumulation, mobility and management. Soil use and management, 14: 154 ~ 159.

Smith K A, Jackson D R, Withers P J A. 2001. Nutrient losses by surface run-off following the application of organic manures to arable land. Nitrogen, environmental pollution, 112: 41 ~ 51.

Thornton P. 2002. Ecological economics, an introduction. Agricultural Systems, 72 (2): 173, 174.

Topp E, Scott A, Lapen D R, et al. 2009. Livestock waste treatment systems for reducing environmental exposure to hazardous enteric pathogens: Some Considerations. Bio-resource Technology, 100 (22): 5395~5398.

Wang Z H. 2004. Ecology industrial park-finality of industrial park development. Science and Management, 24 (1): 19, 20.

WarLick S L, Cochran P L. 2000. The evolution of the corporate social performance model. Academy of Management Review, 4.

Zou L, Sun C. 2009. Study on accumulative effect of enterprise symbiotic space in agricultural circular economy. Journal of Northeast Agricultural University, 16 (2): 91~96.

养猪业循环经济生态产业链理论与实践研究

附　　录

基于循环经济的养猪业生态产业链绩效评价体系定量指标调查问卷

尊敬的专家：

您好！

感谢您在百忙之中抽出时间填写这份问卷，本问卷是为了解我国养猪业生态产业链绩效评价各指标的相对重要程度。本问卷为匿名填写，所有材料仅为学术研究之用，对您的回答，我们将严格保密！

您的评价对本研究有重要意义，再次感谢您的参与！

1. 养猪业生态产业链绩效评价指标权重判断矩阵填写说明

在当前农业产业化大背景下，立足于循环经济理论，对养猪业生态产业链演进路径和运行机制进行探讨，从"养殖业+种植业+粪污资源化"的生态农业体系出发，结合养猪业生态产业链特性，构建养猪业生态产业链绩效评价指标体系，以期能够对我国当前规模化养猪业生态产业链发展程度进行有效评估，提升产业链竞争优势。

本问卷基于层次分析法进行设计，即对处于同一层级的因素根据其重要性进行两两比较，以确定各项评估指标的权重值。

假定 A 层中因素 A_k 针对下一层级中的因素 B_1，B_2，$\cdots$，B_n 有联系，则其判断矩阵如下：

A_k	B_1	B_2	B_j	B_n
B_1	B_{11}	B_{12}	$\cdots$	B_{1n}
B_2	B_{21}	B_{22}	$\cdots$	B_{2n}
B_i	B_{i1}	B_{i2}	B_{ij}	B_{in}

A_k	B_1	B_2	B_j	B_n
...	...	...	...	...
B_n	B_{n1}	B_{n2}	...	B_{nn}

其中，B_{ij} 表示对上一层级 A_k 而言，B_i 对 B_j 的相对重要性，由具体数值表示。相对重要性划分为 5 个等级，分别为一样重要、稍微重要、明显重要、强烈重要、绝对重要，其对应分值分别为 1、3、5、7、9。如果您觉得级别划分粗糙，不能精确表达您对某个问题的看法，则可插入 2、4、6、8 几个亚等级。

简要举例如下：

考察一个企业绩效（目标层），您认为经济绩效、社会绩效和环境绩效（准则层）哪个更重要？

针对企业绩效这个目标，我们对准则层中的经济绩效、社会绩效、环境绩效三个指标的相对重要性进行两两比较，如下：

企业绩效	经济绩效	环境绩效	社会绩效
经济绩效	1	5	7
环境绩效	——	1	1/3
社会绩效	——	——	1

5 表示对于企业绩效而言，经济绩效比环境绩效明显重要；

7 表示对于企业绩效而言，经济绩效比环境绩效强烈重要；

1/3 表示对于企业绩效而言，由于社会绩效比环境绩效稍微重要，因此环境绩效是社会绩效重要度的 1/3

2. 养猪业生态产业链绩效评价指标体系

总目标层 O	子目标层 A	准则层 B	指标层 C
总绩效 O	节点企业经济绩效 A_1	盈利能力 B_1	净资产收益率 C_{11}
			销售净利率 C_{12}
		资产管理能力 B_2	总资产周转率 C_{21}
			流动资产周转率 C_{22}
		发展能力 B_3	主营业务收入增长率 C_{31}
			单位畜禽产品率 C_{32}
			科技开发投入水平 C_{33}

总目标层 O	子目标层 A	准则层 B	指标层 C
总绩效 O	社会绩效 A_2	链内合作绩效 B_4	带动就业率 C_{41}
			合作农户人均收入 C_{42}
			主体契约规范度 C_{43}
			收入分配公平度 C_{44}
			契约农户流动率 C_{45}
			信息沟通与反馈速度 C_{46}
		链外社会绩效 B_5	龙头企业市场形象 C_{51}
			获政府支持度 C_{52}
	环境绩效 A_3	资源减量化投入水平 B_6	化肥施用水平 C_{61}
			企业万元产值能耗 C_{62}
			企业万元产值水耗 C_{63}
		废弃物资源化水平 B_7	沼气设施容量比 C_{71}
			粪便资源化率 C_{72}
			污水排放达标率 C_{73}
			抛荒土地利用率 C_{74}
		废弃物循环再利用水平 B_8	土壤有机质含量 C_{81}
			无公害农产品面积比 C_{82}
			水资源循环利用率 C_{83}

3. 定量指标打分

3.1 次目标层判断矩阵 O-A

相对于企业绩效而言，经济绩效、社会绩效、环境绩效之间的相对重要性。

企业绩效	经济绩效	环境绩效	社会绩效
经济绩效	1	—	—
环境绩效		1	—
社会绩效			1

3.2 准则层判断矩阵 A-B

A_1-B：相对于经济绩效而言，养猪业生态产业链盈利能力、资产管理能力和发展能力相对重要性。

A_1-B	盈利能力	资产管理能力	发展能力
盈利能力	1	—	—
资产管理能力		1	—
发展能力			1

A_2-B：相对于社会绩效而言，链内合作绩效和链外绩效相对重要性。

A_2-B	链内合作	链外影响
链内合作	1	—
链外影响	—	1

A_3-B：相对于环境绩效而言，资源减量化、废物资源化、资源循环化相对重要性。

A_3-B	资源减量化	废物资源化	资源循环化
资源减量化	1	—	—
废物资源化		1	—
资源循环化			1

3.3 指标层判断矩阵 B-C

B_1-C：相对于盈利能力而言，净资产收益率和销售净利率重要性。

B_1-C	净资产收益率	销售净利率
净资产收益率	1	—
销售净利率	—	1

B_2-C：相对于资产运营能力而言，总资产周转率和流动资产周转率相对重要性。

B_2-C	总资产周转率	流动资产周转率
总资产周转率	1	—
流动资产周转率	—	1

B_3-C：相对于发展能力而言，单位畜禽产品率、主营业务收入增长率和科技研发投入水平相对重要性。

B_3-C	单位畜禽产品率	主营业务收入增长率	科技研发投入水平
单位畜禽产品率	1	—	—
主营业务收入增长率	1	—	
科技研发投入水平			1

B_4-C：相对链内绩效而言，带动就业率、合作农户人均收入、契约规范度、分配公平度、契约农户流动率、信息沟通与反馈相对重要性。

B_4-C	带动就业率	合作农户收入	契约规范	分配公平	农户流动率	信息沟通与反馈
带动就业率	1	—	—	—	—	—
合作农户收入		1	—	—	—	—
契约规范			1	—	—	—
分配公平				1	—	—
农户流动率					1	—
信息沟通与反馈						1

B_5-C：相对链外绩效而言，龙头企业市场形象、获政府支持度相对重要性。

B_5-C	龙头企业市场形象	获政府支持度
龙头企业市场形象	1	—
获政府支持度	—	1

B_6-C：相对资源减量化而言，化肥施用水平、企业万元产值能耗、万元产值水耗相对重要性。龙头企业市场形象、获政府支持度相对重要性。

B_6-C	化肥施用水平	万元产值能耗	万元产值水耗
化肥施用水平	1	—	—
万元产值能耗		1	—
万元产值水耗			1

B_7-C：相对废物资源化而言，沼气设施容量比、粪便资源化率、污水达标排放率、抛荒土地利用率相对重要性。

B_7-C	沼气设施容量比	粪便资源化率	污水达标排放率	抛荒土地利用率
沼气设施容量比	1	—	—	—
粪便资源化率		1	—	—
污水达标排放率			1	—
抛荒土地利用率				1

B_8-C：相对资源循环化而言，土壤有机质含量、无公害农产品种植比率、水资源循环利用率相对重要性。

B_8-C	土壤有机质含量	无公害农产品比率	水资源循环利用率
土壤有机质含量	1	—	—
无公害农产品比率		1	—
水资源循环利用率			1

4. 定性指标判断

定性指标按五点量表式设置，分为 5 个等级，分别是很好/高、较好/高、一般、较差/弱、很差/弱，而对应于每一级别赋值分别为 1、0.8、0.6、0.4、0。主体契约规范度调查：

	很好/高	较好/高	一般	较差/弱	很差/弱
契约规范度					
分配公平度					
信息沟通与反馈					
龙头企业市场形象					
获政府支持度					

问卷调查到此结束，感谢您的参与！谢谢！